As Cruzadas

THOMAS ASBRIDGE

A Luta pela Sobrevivência

ns
São Paulo, 2021

A luta pela sobrevivência
The Crusades – The War for the Holy Land
Copyright © Thomas Asbridge, 2010
Copyright © 2021 by Novo Século Editora Ltda.

EDITOR: Luiz Vasconcelos
COORDENAÇÃO EDITORIAL: Nair Ferraz • Vitor Donofrio • João Paulo Putini
TRADUÇÃO: Johann Heyss • Valter Lellis Siqueira
PREPARAÇÃO: Samuel Vidilli
REVISÃO: Agnaldo Alves • Flavia Araujo
DIAGRAMAÇÃO: Vitor Donofrio
CAPA: Ygor Moretti

Texto de acordo com as normas do Novo Acordo Ortográfico
da Língua Portuguesa (1990), em vigor desde 1º de janeiro de 2009

Dados Internacionais de Catalogação na Publicação (CIP)
Angélica Ilacqua CRB-8/7057

Asbridge, Thomas
A luta pela sobrevivência
Thomas Asbridge ; tradução de Johann Heyss, Valter Lellis Siqueira
Barueri, SP: Novo Século Editora, 2021.
96 p.; il. (As Cruzadas ; vol 4)
Bibliografia
ISBN 978-65-5561-290-5
Título Original: The Crusades : The War for the Holy Land

1. Cruzadas 2. Cristianismo e outras religiões 3. História da Igreja - 600-1500 – Idade Média 4. Oriente Médio – História 5. Europa – História da Igreja I. Título II. Heyss, Johann III. Siqueira, Valter Lellis IV. Série

21-3679 CDD-909.07

Índice para catálogo sistemático:
1. Cruzadas

Alameda Araguaia, 2190 – Bloco A – 11º andar – Conjunto 1111
CEP 06455-000 – Alphaville Industrial, Barueri – SP – Brasil
Tel.: (11) 3699-7107 | Fax: (11) 3699-7323
www.gruponovoseculo.com.br | atendimento@gruponovoseculo.com.br

IV. A LUTA PELA SOBREVIVÊNCIA

SUMÁRIO

IV. A LUTA PELA SOBREVIVÊNCIA
19 Rejuvenescimento **7**
20 Novos caminhos **36**
21 Um santo na guerra **61**

NOTAS **91**

19. REJUVENESCIMENTO

No despertar da Terceira Cruzada, ansiosas questões sobre a validade e a eficácia da guerra santa cristã começaram a surgir no Ocidente. Os "horrores" de 1187 – a derrota dos francos em Hattin e a reconquista muçulmana de Jerusalém – propiciaram que a Europa lançasse a maior e mais bem organizada expedição da história ao Oriente. Os maiores reis da cristandade haviam conduzido dezenas de milhares de cruzados à batalha. E, contudo, a Cidade Santa permanecia nas mãos do Islã, bem como a mais venerada das relíquias cristãs, a Verdadeira Cruz. Tendo em vista os sacrifícios físicos, emotivos e financeiros feitos entre 1188 e 1192, bem como o chocante fracasso em conseguir a vitória final, era inevitável que a cristandade ocidental fosse levada a pensar novamente em cruzadas – olhando para o interior de si mesma para reconsiderar e reformular a ideia e a prática da luta em nome de Deus.

TRANSFORMAÇÃO NO OCIDENTE LATINO

Mudanças de rumo fundamentais na Europa latina também ajudaram a acender essa "transformação" na guerra santa cristã. A ideia da cruzada havia nascido e tinha sido moldada no mundo do século XI e do início do século XII, mas por volta de 1200 muitas características essenciais da sociedade ocidental estavam em ação: a aceleração da urbanização estava alterando os modelos da população, estimulando a mobilidade social e o fortalecimento de uma classe negociante, e a autoridade monárquica centralizada estava se fortalecendo em regiões como a França. Ainda mais significativas foram as mudanças associadas ao quadro intelectual e espiritual da Europa. Desde o início, o entusiasmo pelas cruzadas havia sido apoiado pelo fato de que quase todos os latinos sentiam uma necessidade arrebatadora de buscar a redenção de seus pecados. Mas, ao longo do século XII, as atitudes com relação à prática penitencial e devocional evoluíram, e novas ideias quanto ao que uma "boa vida cristã" podia realmente implicar e significar começaram a se infiltrar por todo o Ocidente.

Uma mudança gradativa viu uma crescente ênfase nas formas interiores da espiritualidade, em lugar das manifestações externas de piedade. Pela primeira vez na Idade Média, o que realmente se pensava, sentia e acreditava estava se tornando tão ou mais importante do que aquilo que se dizia ou era feito em público. Num desenvolvimento paralelo e relacionado, a relação do homem com Deus e o Cristo passou a ser vista em termos mais pessoais, diretos e "internalizados". Estas noções tinham o potencial de derrubar os padrões estabelecidos da religião medieval. Um ritual salvador como a peregrinação física – uma das pedras angulares da atitude cruzada – fazia muito menos sentido, por exemplo, se o que realmente importava era a sincera contrição. E se, como muitos teólogos começavam a sugerir, a graça de Deus era onipresente em todos e em tudo, então por que era necessário viajar através de meio mundo para buscar Seu perdão em um local como Jerusalém? Ainda se passariam muitos anos antes que a total força transformadora dessa revolução ideológica fosse sentida na cristandade ocidental, mas os primeiros sinais de sua influência foram evidentes durante o século XIII.

A cristandade latina também encarou desafios mais imediatos e urgentes por volta de 1200. O primeiro foi a heresia. A Europa já fora um bastião de ortodoxia e conformidade religiosas, mas durante uma centena de anos o Ocidente havia experimentado uma explosão de crenças e movimentos "heréticos" de proporções quase epidêmicas. Tais movimentos iam de desvarios relativamente inócuos, mas capazes de agitar as massas conduzidas por desornados demagogos, até a promoção de crenças alternativas cuidadosamente concebidas e impactantes – como a dos cátaros dualistas, que acreditavam em dois deuses: um bom e o outro mau, e negavam que Cristo tivesse vivido sob forma corpórea (e assim rejeitando os dogmas latinos básicos da Crucificação, Redenção e Ressurreição). Ao lado dos condenados como heréticos pela Igreja Romana havia outros com desvio desesperadamente próximo da linha oficial, mas que, não obstante, conseguiam obter a aprovação papal. Estes incluíam os frades mendicantes – franciscanos e dominicanos – que advogavam a pobreza despojada e se dedicavam a levar a palavra de Deus ao povo com novo vigor e clareza. A Igreja logo buscou absorver o dinamismo oratório dos frades, no mínimo para revigorar a pregação em favor da cruzada. Mas o entusiasmo evangélico dos mendicantes também teve o poder de afetar os objetivos de uma guerra santa: entremear uma linha de conversão no fundo familiar da conquista e da defesa.[1]

O mundo do século XIII era de novas ideias e desafios inéditos, em que lutar uma cruzada significava desempenhar papéis diferentes e assumir novas formas. A questão crítica – logo patente para os contemporâneos – era como isso seria traduzido para a gênese de mais uma guerra na Terra Santa.

O PAPA INOCÊNCIO III

Um homem que pelejou apenas com esta questão foi o papa Inocêncio III – talvez o pontífice romano mais poderoso e influente da história medieval; com certeza, o patrono mais ativo e entusiasta das cruzadas durante a Idade Média central. Eleito papa em 8 de janeiro de 1198, ele imediatamente trouxe um novo alento de exuberante vitalidade ao seu cargo. Durante os dezessete anos precedentes, não menos que cinco papas idosos haviam morrido assim que foram elevados ao trono pontifício. Inocêncio, em contraste, tinha apenas 37 anos de idade, transbordante de vigor, ardendo de ambição. No fundo, ele se adequava perfeitamente a esse novo papel. Tendo nascido na aristocracia romana, possuía excelentes ligações políticas e eclesiásticas com o centro da Itália. Também havia sido educado nos melhores centros de estudo da Europa, especialmente em Direito Eclesiástico em Bolonha e Teologia em Paris.

Além disso, o momento da ascensão de Inocêncio ao poder foi fantasticamente propício. Desde os dias do papa Gregório VII e do movimento de reforma do século XI, a autoridade papal havia sido persistentemente contestada pelos combativos ataques do império alemão dos Hohenstaufen. E a situação de Roma deteriorou-se mais ainda em 1194, quando o imperador Henrique VI (filho e herdeiro de Frederico Barbarroxa) também se tornou rei da Sicília por meio do casamento, assim cercando os Estados Papais de Norte a Sul. Mas em setembro de 1197, Henrique VI morreu inesperadamente de malária, deixando como herdeiro Frederico, seu filho de apenas três anos de idade. O mundo dos Hohenstaufen subitamente mergulhou numa paralisante crise dinástica que se arrastaria por décadas. Isto deu ao papado, sob o comando de Inocêncio III, uma extraordinária oportunidade de atuar no cenário europeu relativamente sem impedimento.[2]

A visão de Inocêncio com relação à autoridade papal

O papa tinha notável confiança na autoridade essencial – e, em sua opinião divinamente sancionada – investida no papado. Inocêncio se via realmente como o vigário (ou representante) de Cristo na Terra. Pontífices anteriores podem ter sonhado em atingir um domínio significativo, mais do que simplesmente teórico, de toda a Igreja Latina; as aspirações de Inocêncio iam muito além da esfera eclesiástica ou espiritual. Na verdade, em sua opinião, o papa deveria ser o senhor de toda a cristandade ocidental, talvez até de todos os cristãos da Terra; um árbitro da vontade de Deus, cujo poder superava o dos governantes temporais, capaz de fazer (e destronar) reis e imperadores. Inocêncio também possuía uma visão clara do que desejava atingir com esse poder absoluto: a reconquista de Jerusalém. Ele parece ter sentido uma ligação sincera e autêntica com a Cidade Santa; boa parte de seu pontificado seria dedicada, de uma forma ou de outra, a garantir sua reconquista. Mas como muitos ocidentais de sua geração, o novo papa havia se decepcionado com as conquistas limitadas da Terceira Cruzada. Em sua mente, o fracasso da expedição em retomar Jerusalém podia ser atribuído a duas causas preponderantes e ele tinha uma solução para cada uma delas.

Evidentemente, Deus permitiu que os francos fossem derrotados no Levante como punição pelos pecados manifestos de toda a cristandade latina. Portanto, o trabalho de reforma e purificação do Ocidente devia ser redobrado. Toda a Europa teria que ser trazida – pela força, se necessário – a um novo estado de perfeição, unificada espiritual e politicamente sob a justa autoridade de Roma e assim purgada da mancha terrível e corruptora da heresia. E os fiéis deveriam ser encaminhados para uma vida de virtude; receberiam toda oportunidade possível de se redimir de suas transgressões, para que pudessem encontrar o caminho da salvação. Por esses meios, o mundo latino poderia ser limpo, de forma que o Senhor pudesse conduzir a cristandade à vitória na guerra pela Terra Santa.

O papa Inocêncio também acreditava que a própria prática da cruzada deveria ser urgentemente alterada, e concluiu, assim, que medidas funcionais levariam ao rejuvenescimento espiritual. Com esse intuito, ele tratou de refinar o gerenciamento e a operação da guerra santa, de modo a fortalecer os participantes para agirem com maior pureza de intenções. Voltando seu olhar para o século anterior, o papa percebeu três problemas fundamentais: demasiadas pessoas erradas (especialmente não combatentes) estavam aceitando a cruz; as expedições foram mal financiadas; e também estiveram sujeitas a um comando ineficiente. Não é de surpreender que Inocêncio estivesse certo de que sabia como resolver essas dificuldades – a Igreja Latina tomaria a dianteira, reafirmando seu "direito" de comandar o movimento cruzado, assumindo o controle do recrutamento, do financiamento e da liderança. A beleza de todo esse esquema, como pensava o papa, era que os cruzados lutando numa guerra santa "aperfeiçoada" não teriam apenas uma oportunidade melhor de expulsar o Islã de Jerusalém; o próprio envolvimento desses latinos numa expedição penitenciária serviria simultaneamente para expiar seus pecados, assim ajudando toda a cristandade ocidental a trilhar o caminho da retidão.

Com tudo isso em mente, Inocêncio buscou lançar uma nova cruzada para a Terra Santa assim que se tornou papa, emitindo um chamado às armas em 15 de agosto de 1198. Ele vislumbrou um glorioso empenho – a pregação, a organização e a busca do que estaria sob seu controle direto – imaginando que uma expedição tão ordenada e sagrada não poderia deixar de receber a divina aprovação.

Convocando uma cruzada

Durante os primeiros anos de seu pontificado, Inocêncio III tratou de concentrar o mecanismo e o maquinário da cruzada em Roma, na esperança de institucionalizar a guerra santa como um empreendimento regido pelo papado. Entre 1198 e 1199, ele introduziu um pacote de reformas inovadoras que formaram a espinha dorsal de sua política de cruzada enquanto esteve em seu cargo. Sob seu papado, a recompensa espiritual (ou indulgência) oferecida aos cruzados foi reconfigurada e reforçada. Os que a tomavam recebiam a firme promessa de "perdão total de seus pecados" e a garantia de que seu serviço militar os dispensaria de qualquer punição na Terra ou na eternidade. Contudo, exigia-se dos cruzados que mostrassem "penitência na voz e no coração" por suas transgressões – ou seja, remorso exterior e interior. A indulgência de Inocêncio também se distanciou cuidadosamente da força purificadora da guerra santa das obras físicas do ser humano: não mais se sugeria que o sofrimento e a dificuldade suportados na campanha servissem para salvar a alma; em vez disso, os benefícios espirituais obtidos pela indulgência eram dados como presente, misericordiosamente garantidos por Deus como justa recompensa por atos meritórios. Esse foi um desvio sutil, mas que procurou acalmar algumas dificuldades teológicas levantadas pela cruzada (como a relação de Deus com o homem). Essa formulação da indulgência tornou-se o "padrão de ouro" da Igreja Latina, permanecendo praticamente imutável ao longo de toda a Idade Média e depois dela.

Inocêncio também tentou criar um novo sistema financeiro que deixasse para a Igreja o ônus da cruzada. Isto incluía um imposto de um quarto sobre quase todos os aspectos da renda eclesiástica por um ano e um imposto de 10% sobre a receita papal. O novo papa mandou colocar urnas de doação em igrejas por toda a Europa, nas quais os paroquianos leigos deviam doar esmolas em apoio aos esforços de guerra. De maneira crucial, o sumo-pontífice sugeriu que essas ofertas em dinheiro, por si mesmas, trariam a seus autores uma indulgência similar àquela oferecida aos cruzados verdadeiros. Com o tempo, essa concepção remodelaria a ideologia cruzada e traria enormes consequências para toda a história da Igreja Romana.

Inocêncio afirmou, com todas as letras, que o oneroso fardo de seus deveres em Roma tornava-lhe impossível liderar uma cruzada em pessoa, mas nesses primeiros anos nomeou um certo número de legados papais para representar seus interesses e supervisionar a guerra santa. Ele também estabeleceu limites precisos quanto a quem tinha permissão de pregar a cruzada, apontando o renomado evangelizador franco Fulco de Neuilly para fazer esse chamado. Ao mesmo tempo, o papa buscou impor um mínimo de termos estritos de serviço aos que se tornariam cruzados, declarando que só depois de um determinado período de tempo lutando pela cruz é que a indulgência seria concedida (começou com dois anos, mas posteriormente baixou para um ano).

Tudo isso parecia maravilhosamente eficiente. Contudo, a despeito da verve e da garantia da visão de Inocêncio, todos os seus esforços multifacetados evocavam uma única resposta em surdina: os antecipados alistamentos de hordas de entusiasmados guerreiros não ocorreram (embora muitos pobres o tivessem feito); as doações nas urnas espalhadas pelo Ocidente não conseguiram enchê-las. A primeira encíclica cruzada de Inocêncio havia apelado para o início de uma expedição em março de 1199, mas essa data logo chegou e se foi sem nenhum sinal de ação e, eventualmente, um segundo apelo foi feito em dezembro de 1199. Por essa época, o controle do que se tornaria a Quarta Cruzada já estava lhe escapando pelos dedos.

Na verdade, o conceito de cruzada de Inocêncio era fundamentalmente inócuo. Absolutista no tom, não fez nenhuma previsão de colaboração interativa entre a Igreja e os líderes seculares da sociedade leiga. O papa imaginou que simplesmente dobraria os reis e os senhores da cristandade latina à sua vontade, como meros instrumentos dos propósitos de Deus. Mas isto se mostrou totalmente fora da realidade. A partir da Primeira Cruzada, os nobres leigos da Europa tinham sido absolutamente essenciais para o movimento cruzado. Era o entusiasmo febril deles que podia desencadear expansivas ondas de recrutamento pelas redes sociais do parentesco e da vassalagem, e a liderança militar que tinham podia direcionar a guerra santa. Inocêncio certamente esperara alistar os cavaleiros, senhores e até reis em sua cruzada, mas apenas como peões obedientes, e não iguais ou aliados.

Os historiadores costumavam sugerir que o papa deliberadamente limitou o grau de envolvimento real na cruzada, mas isso não é inteiramente verdadeiro. Para começar, pelo menos, ele buscou intermediar um acordo de paz entre a Inglaterra angevina e a França capetíngia, e fez algumas tentativas de convencer o rei Ricardo I a aceitar a cruz. Mas, quando o Coração de Leão faleceu em 1199, esses planos nebulosos de incluir a monarquia latina na "cruzada papal" se evaporaram. Depois da morte de Ricardo, seu irmão João estava ocupado demais lutando para assumir o controle da Inglaterra e do reino angevino para pensar em uma guerra santa. O rei Filipe Augusto da França deixou claro que, antes que a sucessão angevina fosse resolvida, ele não sairia da Europa. E a luta pelo poder em andamento na Alemanha impedia qualquer participação direta dos Hohenstaufen. Mas mesmo quando ficou óbvio que não haveria nenhum envolvimento da coroa desses três reinos, Inocêncio não tentou consultar ou recrutar líderes seculares da grande aristocracia. Ele provavelmente acreditava que os membros dessa classe aderiram à sua causa por vontade própria, ávidos por servir ao seu desejo – mas ele estava enganado, e este lapso de julgamento teria trágicas consequências para a cristandade.[3]

A QUARTA CRUZADA

Contrariando as esperanças e expectativas do papa Inocêncio III, a Quarta Cruzada foi em grande parte moldada pela laicidade, ficando sujeita à liderança secular e à influência das preocupações mundanas. O verdadeiro entusiasmo e o generalizado recrutamento para a expedição entre a elite dos guerreiros europeus só ocorreram depois que dois proeminentes senhores do norte da França – o conde Teobaldo III de Champagne e seu primo Luís, conde de Blois – aceitaram a cruz num torneio de cavaleiros em Écry (ao norte de Rheims) no final de novembro de 1199. Em fevereiro de 1200, o conde Balduíno de Flandres seguiu o exemplo. Os três homens pertenciam ao alto escalão da nobreza latina, ligados às casas reais da Inglaterra e da França. Cada um possuía uma inestimável "linhagem cruzada", visto que múltiplas gerações de suas respectivas famílias haviam lutado na guerra pela Terra Santa. Contudo, embora eles pareçam ter conhecido bem a pregação sobre a cruzada de Fulco de Neuilly, não há evidências de que foram diretamente contatados ou incentivados a se alistar por qualquer representante do papa. Com certeza, como os cruzados mais antigos, eles se viam como cristãos que atendiam ao chamado às armas emitido e sancionado pelo papado, mas não parecem ter sentido nenhuma necessidade especial de trabalhar com Roma no planejamento ou na execução de sua expedição. Isso resultou numa preocupante disjunção entre o ponto de vista deles e as noções idealizadas propostas por Inocêncio III.

Digressões para o desastre

Em abril de 1201, um grupo de enviados cruzados – representando Teobaldo, Luís e Balduíno – negociou um malfadado tratado com Veneza, a superpotência naval e comercial da Itália. O acordo previa a construção de uma vasta frota para transportar 33.500 cruzados e 4.500 cavalos pelo Mediterrâneo em troca de um pagamento de 85 mil marcos de prata. Esta enorme encomenda permitiu que os venezianos suspendessem temporariamente seus interesses comerciais mais amplos, investindo toda sua energia na construção do requisitado número de navios em tempo recorde.

Esse esquema foi insano desde o início. A ideia de usar o transporte marítimo para chegar à Terra Santa se popularizara durante a Terceira Cruzada, com os contingentes ingleses e franceses velejando para a guerra. O problema das viagens marítimas, porém, estava no custo e, em comparação com a marcha por terra, exigiam um imenso gasto inicial em dinheiro vivo. A frota usada pela Terceira Cruzada precisou ser financiada por tesouros reais, e mesmo assim os fundos não foram facilmente reunidos. Sem contar com o apoio ou o envolvimento real, a Quarta Cruzada inevitavelmente lutou para pagar a conta devida a Veneza. O tratado de 1201 também foi assinado segundo a suposição irreal de que todos os latinos que haviam aceitado a cruz concordariam em zarpar do mesmo porto numa data específica, embora não houvesse precedente para este tipo de partida sistemática e nenhum compromisso disso ocorrer em Veneza estivesse incluso no voto do cruzado. O plano poderia muito bem ter funcionado se a liderança secular tivesse coordenado seus esforços com o papado para orquestrar um contingente geral – como aconteceu, Inocêncio aparentemente sequer foi consultado sobre o acordo com Veneza. Percebendo que estava rapidamente perdendo todo o controle sobre a expedição, o papa relutantemente confirmou o tratado. Desse ponto em diante, Inocêncio viu-se gradativamente preso entre impulsos conflitantes: o desejo de pôr a cruzada de joelhos retirando seu apoio e a persistente esperança de que a campanha ainda encontraria uma maneira de cumprir a vontade de Deus.

As perspectivas da Quarta Cruzada sofreram um grave golpe quando, em maio de 1201, Teobaldo de Champagne, que mal tinha completado vinte anos de idade, caiu doente e morreu. A liderança geral passou para Bonifácio de Montferrat, um nobre do norte da Itália que, por meio de seus irmãos Guilherme e Conrado, possuía seu próprio e notável "linhagem de cruzado", mas a morte de Teobaldo, não obstante, enfraqueceu o recrutamento no norte da França. Quando os cruzados começaram a se reunir em Veneza a partir de junho de 1202, ficou rapidamente óbvio que havia um problema. Em meados do verão de 1201, apenas cerca de 13 mil soldados tinham chegado. Muito menos francos que os previstos haviam aceitado a cruz, e, dos homens alistados, muitos preferiram embarcar para o Oriente de outros portos, como Marselha.

Mesmo juntando todos os recursos disponíveis, os líderes cruzados ficaram com um enorme rombo financeiro. Os venezianos haviam cumprido sua parte no trato – a grande armada estava pronta – mas ainda lhes eram devidos 34 mil marcos. A expedição foi salva do colapso imediato pela intervenção do venerável líder de Veneza, o doge Enrico Dandolo. Octogenário sábio e meio cego, cujo caráter espirituoso e infindável energia desmentiam sua idade, Dandolo possuía uma visão perspicaz da guerra e da política e era motivado por uma absoluta determinação de ampliar os interesses venezianos. Ele então se ofereceu para comutar a dívida dos cruzados e prometeu que suas próprias tropas se juntariam à guerra no Levante, desde que os cruzados primeiro ajudassem Veneza a derrotar seus inimigos. Ao concordar com o trato, a Quarta Cruzada desviou-se de seu caminho para a Terra Santa. Em alguns meses a expedição havia saqueado a cidade cristã de Zara, na costa dalmática, a rival política e econômica de Veneza. Inocêncio ficou consternado quando soube dessa afronta e reagiu excomungando a cruzada inteira. A princípio, este ato de censura – a máxima sanção espiritual à disposição do papa – pareceu imobilizar a campanha. Mas Inocêncio, um tanto insensatamente, acedeu às promessas de contrição dos cruzados franceses e posteriormente rescindiu sua punição (embora os venezianos, que nada fizeram para obter o perdão, continuassem excomungados). Nessa época, vozes dissidentes dentro do exército cruzado começaram a questionar o rumo tomado pela expedição; alguns francos chegaram a partir para a Terra Santa por conta própria. A maioria, contudo, continuou a seguir o conselho e a liderança oferecidos por homens como Bonifácio de Montferrat e o doge Dandolo.

Quando o botim conseguido pela conquista de Zara mostrou-se insuficiente, a cruzada virou-se para Constantinopla e o Império Bizantino. A "justa causa" citada para decisão extraordinária foi que os cruzados planejavam restabelecer o herdeiro "legítimo" de Bizâncio, o príncipe Aleixo Ângelo (filho do deposto imperador Isaac II Ângelo), que então pagaria a dívida com Veneza e financiaria um ataque ao Oriente Próximo muçulmano. Porém, havia um subtexto mais sombrio em ação. Os gregos tinham suprimido as ambições venezianas de dominar o comércio mediterrâneo havia décadas. No mínimo, Dandolo esperava instalar um imperador "dócil" no trono, mas talvez ele já tivesse uma conquista mais direta em mente – o doge, com certeza, só ficou feliz ao conduzir a cruzada a Constantinopla.

Uma vez lá, a expedição rapidamente perdeu de vista seu objetivo "sagrado" de reconquistar Jerusalém. Depois de uma breve ofensiva militar, o regime imperial existente foi derrubado em julho de 1203 – a apenas um custo limitado de sangue grego –, e Aleixo foi proclamado imperador. Mas quando ele se mostrou incapaz de cumprir suas pródigas promessas de recompensar os latinos, as relações se estremeceram. Em janeiro de 1204, o controle do poder por Aleixo titubeou, e ele foi derrubado (e depois estrangulado por um membro da família rival Ducas, apelidado de *Murtzurphlus* (ou "sobrancelha-pesada", devido às suas sobrancelhas proeminentes). A despeito de seu estranhamento com relação ao falecido imperador, os cruzados interpretaram essa deposição como golpe e caracterizaram *Murtzurphlus* como um usurpador tirânico que também deveria ser deposto. Envolvidos nesta causa da guerra, os latinos prepararam um assalto em escala total contra a grande capital de Bizâncio.

Em 12 de abril de 1204, milhares de cavaleiros ocidentais irromperam na cidade e, a despeito de seus votos de cruzados, sujeitaram sua população cristã a três dias de violência, estupro e saques. Durante esse horrível ataque, a glória de Constantinopla foi esmagada, a cidade despojada de seus maiores tesouros – entre eles relíquias sagradas como a Coroa de Espinhos e a cabeça de João Batista. O doge Dandolo apoderou-se das imponentes estátuas de bronze de quatro cavalos e as despachou para Veneza, onde foram colocadas acima da entrada da Basílica de São Marcos como totem do triunfo veneziano. Lá permanecem até hoje.

Os homens da Quarta Cruzada nunca zarparam para a Palestina. Em vez disso, permaneceram em Constantinopla, fundando um novo império latino, que chamaram de România. Imitando a prática bizantina, seu primeiro soberano, Balduíno, conde de Flandres, colocou as elaboradas vestes incrustradas de joias do governante imperial em 16 de maio de 1204 e foi ungido imperador na monumental Basílica de Santa Sofia – o epicentro espiritual da cristandade ortodoxa grega. Para além do Estreito de Bósforo, na Ásia Menor, a aristocracia grega sobrevivente estabeleceu seu próprio império no exílio em Niceia, aguardando vingança.

Causas e consequências

Os comentadores contemporâneos e mesmo os modernos se questionam sobre o que levou a Quarta Cruzada à antiga capital do Império Bizantino. Já se sugeriu, por exemplo, que esse desvio foi a expressão total de uma exasperada desconfiança e ojeriza que havia sido uma característica cada vez mais crescente dos cruzados – ou seja, as relações com Bizâncio durante o século XII. Afinal, elementos da Segunda Cruzada haviam pensado em atacar a capital grega, e a Terceira Cruzada testemunhou a forçada captura do Chipre, um protetorado bizantino. Alguns até insinuaram que a expedição foi verdadeiramente parte de uma completa conspiração antigrega – que a captura de Constantinopla sempre teve esse objetivo, deliberadamente buscado pelos cruzados desde o início. Não é provável que isto tenha sido verdade – no mínimo porque todo o empreendimento caracterizou-se por uma evidente falta de organização efetiva.

Na verdade, a Quarta Cruzada somente foi posta em movimento pelo mal alinhavado tratado com Veneza e, quase com certeza, chegou às muralhas de Constantinopla por meio de uma sucessão de decisões não planejadas e pragmáticas, bem como por uma série de desvios cumulativos. Pode não ter havido um grande desígnio em ação, mas isso não quer dizer que a eventual conquista sanguinária de Constantinopla pelos latinos não tenha seguido os interesses venezianos ou aumentado as ambições de alguns dos líderes cruzados. A expedição também confirmou o abominável fracasso do grande projeto de "cruzada papal" de Inocêncio III. Os eventos demonstraram que ele era singularmente incapaz de impor sua vontade a partir de Roma. Em junho de 1203, quando ele soube do desvio para Constantinopla, o papa escreveu aos líderes cruzados proibindo explicitamente qualquer ataque à metrópole cristã, mas tal proibição foi ignorada. E foi assim que, um pouco antes de novembro de 1204, Inocêncio recebeu uma carta do novo imperador latino Balduíno, anunciando a captura da capital bizantina. A missiva do monarca evidentemente oferecia um relato dos eventos bastante saneado, celebrando a conquista como um grande triunfo para a cristandade e, a despeito de preocupações anteriores, o papa inicialmente respondeu com júbilo. Parecia que, por meio da vontade inimitável de Deus, as Igrejas do Oriente e do Ocidente haviam sido agora gloriosamente unidas sob o domínio romano, e que, com a fundação da nova unidade política latina, poder-se-ia levar socorro aos Estados cruzados levantinos. Só mais tarde surgiram os detalhes da bruta avidez dos cruzados, transformando a alegria de Inocêncio em desgosto, fazendo-o rescindir sua aprovação inicial e condenando o resultado da expedição como uma paródia vergonhosa.[4]

CONTROLANDO O INCÊNDIO

Inocêncio ficou indignado pela forma com que a Quarta Cruzada escapou do controle, mas logo sua visão inatamente pragmática e seu otimismo natural fizeram-no renovar seu interesse por atrelar-se ao poder da guerra santa. Durante a década seguinte, ele fez repetidas tentativas de utilizar e controlar a cruzada. Durante esse período, contudo, redirecionou essa arma da política papal para novos palcos do conflito e contra inimigos diferentes. Em parte, essa foi uma resposta a ameaças emergentes; assim, expedições foram lançadas contra os pagãos livonianos do Báltico e os mouros almóadas da Espanha. E apesar de suas preocupações quanto às circunstâncias de sua formação, Inocêncio também reconheceu que o recém-formado Império Latino de Constantinopla precisaria de proteção se fosse desempenhar algum papel significativo na luta mais ampla pela reconquista da Terra Santa. Outros cruzados, portanto, foram incentivados a reforçar esse novo domínio. O papa também concluiu que as cruzadas poderiam desempenhar um papel importante e direto em sua busca por purificar a Europa Ocidental. Em 1209, lançou a chamada Cruzada Albigense contra os heréticos cátaros no sudeste da França, mas as campanhas que se seguiram demonstraram-se brutais e grandemente ineficientes, sendo sujeitas aos desejos de aquisições pessoais para os participantes do norte da França.

Uma explosão popular de piedade arrebatada foi testemunhada em 1212, quando, por razões que permanecem incertas (mas talvez estivessem relacionadas com a pregação da Cruzada Albigense), grandes grupos de crianças e jovens, no norte da França e na Alemanha, começaram espontaneamente a declarar sua dedicação a libertar Jerusalém. Na "Cruzada das Crianças" que se seguiu, dois meninos, um pastorzinho franco de Vendôme chamado Estêvão de Cloyes e um certo Nicolau de Colônia, aparentemente fizeram surgir hordas de jovens seguidores, prometendo que Deus velaria a jornada até o Levante e, então, atribuiria a eles o poder miraculoso de derrotar o Islã, retomar Jerusalém e recuperar a Verdadeira Cruz. Sendo inocentes, argumentavam, as crianças seriam capazes de cumprir os desígnios divinos de uma maneira impossível para os adultos, contaminados pelo estigma do pecado. Poucas evidências confiáveis sobreviveram com relação ao destino desses "cruzados", mas para os contemporâneos da França, Alemanha e Itália – incluindo Inocêncio III – tal acontecimento serviu como lembrete salutar de que o chamado da cruz ainda conseguia comover os corações e as mentes das massas.[5]

Em 1213, o papa percebeu que a ampliação do foco da guerra santa tinha, na verdade, servido para enfraquecer o Oriente latino – desviando o Ocidente da promessa da Terra Santa – e, então, lançou-se a repensar sua política de forma mais abrangente. Retirando o status de cruzada dos conflitos na Espanha, no Báltico e no sul da França, ele recanalizou a força total do entusiasmo cruzado para a reconquista de Jerusalém, proclamando uma nova e grande expedição: a Quinta Cruzada. Ao mesmo tempo, fez renovadas tentativas de assegurar o total controle da organização e do processo da violência santificada.

Ele começou por fazer esforços ainda mais extenuantes para regularizar a pregação dessa Quinta Cruzada. Inocêncio escolheu a dedo os clérigos que deveriam espalhar o apelo às armas, além de administradores regionais para supervisionar as campanhas de recrutamento. Também incentivou a produção de manuais de pregação contendo modelos de sermões, e estabeleceu guias específicos sobre a conduta dos pregadores. Embora a cruzada atraísse poucos recrutas na França – o tradicional coração do entusiasmo – em outras partes a resposta foi dramática. Arrebatados por oradores habilidosos, como o clérigo franco Jaime de Vitry ou o pregador alemão Olivier de Paderborn – cujos sermões eram frequentemente acompanhados por eventos "miraculosos", como o aparecimento de cruzes brilhantes no céu – centenas de habilidosos cavaleiros da Hungria, Alemanha, Itália, Países Baixos e Inglaterra aceitaram a cruz. As iniciativas de Inocêncio na esfera do financiamento da cruzada tiveram consequências mais problemáticas. Até então, ele tinha argumentado de forma consistente que somente guerreiros treinados poderiam aceitar a cruz, acreditando que isso criaria um exército cruzado compacto e eficiente.

Em 1213, propiciou o que pareceu uma reviravolta, declarando que o maior número possível de pessoas deveria ser incentivado a se alistar, sem se levar em consideração sua adequação para a guerra santa. Esta abertura das comportas pode ter sido provocada, em parte, pela então recente Cruzada das Crianças, que demonstrou de forma tão patente a amplidão e a profundidade do entusiasmo cruzado do Ocidente. Não obstante, o esquema de Inocêncio teve outra reviravolta. Anos antes, quando lançou a Quarta Cruzada, o papa havia sugerido que doações financeiras de ajuda à guerra santa poderiam ser recompensadas com uma indulgência. Agora, ele aprimorava e ampliava essa ideia. Inocêncio esperava que muitos milhares se alistassem em sua nova campanha, mas anunciou que qualquer um que aceitasse a cruz e provasse ser incapaz de lutar pessoalmente poderia prontamente redimir seu voto de cruzado fazendo um pagamento em dinheiro e recebendo uma recompensa religiosa. Esta reforma extraordinária pode ter sido bem-intencionada – destinada a trazer à cruzada recursos financeiros e militares, bem como a ampliar o poder redentor da guerra santa para um público mais amplo, mas acabou por abrir um precedente extremamente perigoso. A ideia de que o mérito espiritual podia ser comprado com dinheiro gerou o desenvolvimento de um amplo sistema de indulgências, talvez a característica mais amplamente crítica do catolicismo latino medieval tardio e fator-chave para o surgimento da Reforma. Essas iminentes consequências de longo prazo não ficaram aparentes em 1213, mas, mesmo assim, a inovação de Inocêncio provocou uma crítica escandalizada entre alguns contemporâneos e, ao longo do século XIII, levou a graves abusos do movimento cruzado.

Contudo, o papa não abriu mão de seu objetivo. A convocação de uma nova cruzada à Terra Santa foi novamente divulgada em 1215 num enorme concílio eclesiástico (o Quarto Concílio de Latrão) convocado por Inocêncio para discutir a situação da cristandade. Essa espetacular assembleia – na época a maior de sua espécie – afirmou a elevação do poder papal conseguido durante o pontificado corrente. Sempre obcecado pelo desejo de levantar fundos para a guerra santa, ele renovou o imposto da Igreja, dessa vez com a taxa ainda mais acachapante de um vigésimo por três anos, e nomeou comissões para garantir seu cuidadoso recolhimento.

Menos de um ano depois, em 16 de julho de 1216, o papa Inocêncio III morreu de uma febre – supostamente contraída enquanto ele pregava a cruzada debaixo de chuva perto de Perúgia (centro da Itália) – mesmo antes que a Quinta Cruzada começasse.[6] Ao longo de seu pontificado ele abraçara a guerra santa, embora as campanhas lançadas sob seu comando só tivessem obtido limitado sucesso. A vontade de Inocêncio de apoiar e modificar o movimento cruzado muito fez para revigorar uma causa que, de outra forma, teria se dissipado. Em muitos sentidos, ele reformulou a cruzada da forma que ela assumiria no século seguinte e para além dele. Contudo, também é verdade que a monumental ambição de Inocêncio excedeu a realidade da autoridade papal, e que suas tentativas de exercer o controle eclesiástico direto das expedições cruzadas foram mal concebidas e fora da realidade.

O ULTRAMAR NO SÉCULO XIII

No início do século XIII, à medida que o papado buscava dar forma e controlar o poderio da cruzada, o equilíbrio de poder no Oriente Próximo passava por uma série de mudanças convulsivas. Depois da Terceira Cruzada e da morte de Saladino, francos e muçulmanos foram igualmente enfraquecidos e abalados pela erupção de uma complexa sucessão de crises na Palestina, Síria e Egito. Os cristãos latinos que lutavam pela sobrevivência no Levante – nutrindo esperanças de reconquista e expansão – tiveram que adotar outras práticas de defesa do Ultramar e sua interação com o Islã.

No verão de 1216, o clérigo franco Jaime de Vitry tinha importantes negócios com que lidar no centro da Itália. Talvez com pouco mais de cinquenta anos de idade, Jaime era um erudito e ardente reformador, com o dom natural da oratória. Ele já havia obtido notoriedade como pregador das campanhas albigenses e da Quinta Cruzada – seus sermões também podem ter ajudado a insuflar vida à chamada Cruzada das Crianças. Jaime também foi autor de um valioso conjunto de material escrito relacionado com as cruzadas, indo de cartas e relatos históricos a coleções de "modelos" de sermões. Mas em 1216 ele foi eleito o novo bispo de Acre e, antes que pudesse viajar para o Levante, precisava da confirmação e da consagração papal. Jaime esperava se encontrar com o papa Inocêncio III, mas chegou a Perúgia em 17 de julho, um dia após a morte do pontífice. Entrando na igreja em que estava o corpo de Inocêncio em solene exibição antes do enterro, Jaime descobriu que, do dia para a noite, saqueadores haviam destituído o corpo do grande papa de suas ricas vestes; tudo o que sobrara era um cadáver seminu e em decomposição, já fedendo no calor de meados do verão. "Quão breve é a enganadora glória deste mundo", observou Jaime ao descrever o espetáculo.

No dia seguinte, o papa Honório III foi eleito como sucessor de Inocêncio e Jaime acabou por receber sua confirmação. Naquele outono o bispo tomou um navio de Gênova para o Oriente – uma perigosa jornada de cinco semanas, durante a qual ele suportou as severas tempestades do final do outono que deixaram os passageiros a bordo "(sem) comer nem beber com medo da morte". Ele chegou a Acre no início de novembro de 1216 e, nos meses que se seguiram, realizou uma extensa viagem de pregação pelo Ultramar, na esperança de rejuvenescer o fervor espiritual de sua população cristã, numa preparação da Quinta Cruzada. O mundo do Oriente Próximo que ele encontrou era de crônica instabilidade política, em que velhas rivalidades fervilhavam, mesmo o surgimento de novos detentores do poder.[7]

O equilíbrio de poder no Oriente franco

Em termos territoriais, os Estados cruzados eram uma mera sombra do que haviam sido. Jerusalém e as regiões do interior da Palestina estavam nas mãos dos muçulmanos, e o Reino Latino de "Jerusalém" agora poderia ser mais propriamente chamado de reino de Acre, com suas terras confinadas a uma estreita faixa costeira que se estendia de Jafa, ao sul, até Beirute, ao norte – esta última cidade tendo sido recuperada com a ajuda de um grupo de cruzados alemães em 1197. Na verdade, quando Jaime de Vitry chegou ao Oriente, a monarquia de Jerusalém havia adotado Acre como sua nova capital. Costa acima, o Condado de Trípoli retinha um bastião no Líbano, enquanto algumas fortalezas templárias e hospitalárias, de alguma forma, ampliavam o domínio franco para o norte, mas como os muçulmanos continuavam a controlar a região em torno de Latáquia, não havia ligação por terra com o Principado de Antioquia, e esta outrora formidável unidade política havia sido reduzida a uma pequena parcela de terra centrada na cidade de Antioquia.

Os Estados Cruzados no Início Do Século XIII

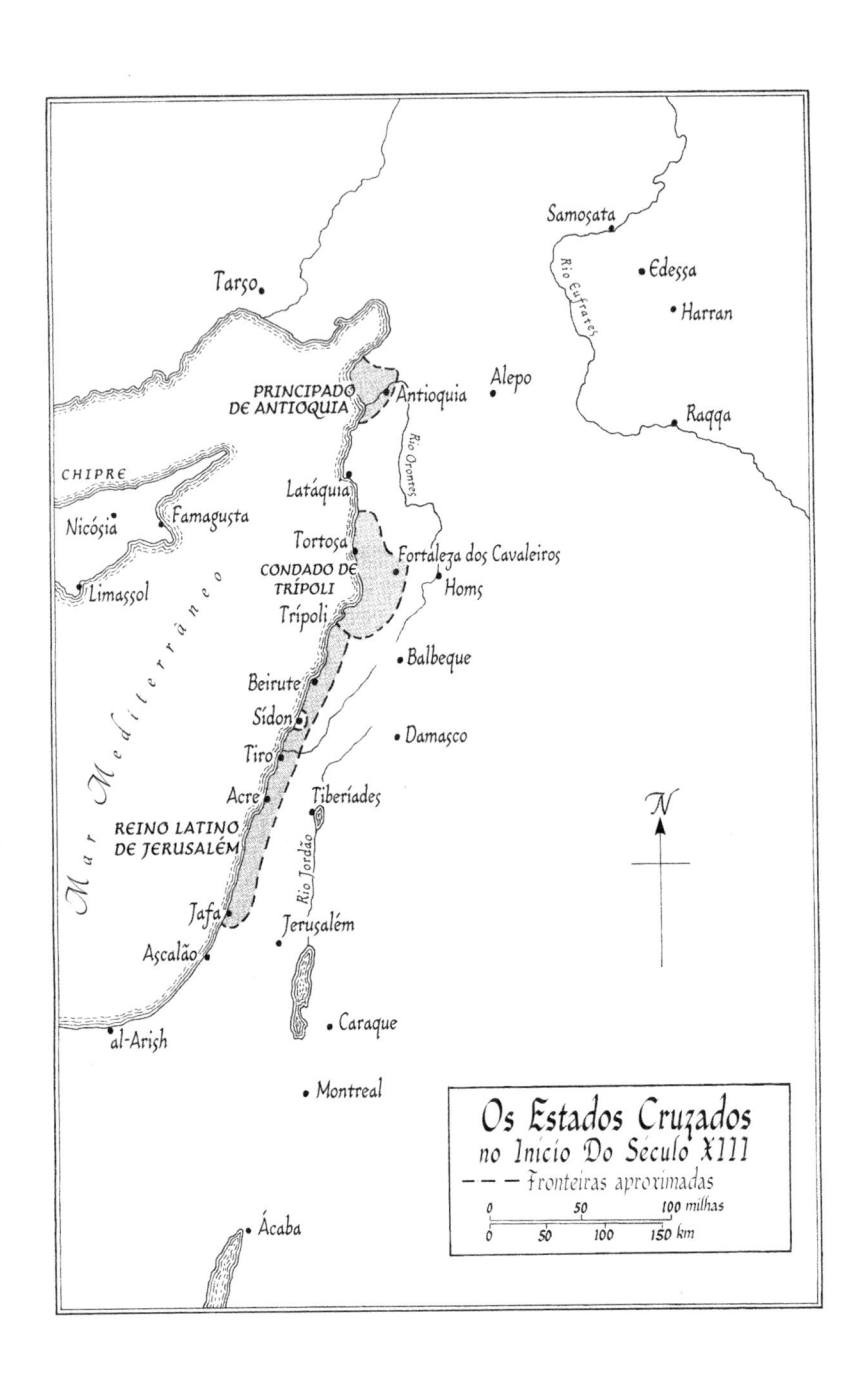

--- Fronteiras aproximadas

0 — 50 — 100 milhas
0 — 50 — 100 — 150 km

A vulnerabilidade de cada um dos Estados cruzados sobreviventes era grande, também, por conta de uma série de amargas disputas sucessórias. Henrique de Champagne, o governante da Palestina franca nomeado no final da Terceira Cruzada, sobreviveu até 1197, quando morreu num infeliz acidente – caiu de uma janela do palácio em Acre quando a grade cedeu. Único membro sobrevivente da linhagem real, Isabel (viúva de Henrique), casou-se com Amalrico, um membro da dinastia Lusignan, que então governou até 1205, quando também morreu – desta vez por comer peixe demais. Isabel o seguiu ao túmulo logo depois. Desse ponto em diante, o título real recaiu sobre o filho que tivera de seu casamento anterior com Conrado de Montferrat, e a sucessão de Jerusalém evoluiu para uma desnorteante e complexa rede de casamentos, minoridades e regências que persistiu durante a maior parte do século XIII – uma situação que legou grande poder e autoridade aos nobres francos. Nas primeiras décadas, duas figuras principais emergiram do tumulto.

João de Ibelin (filho de Balian de Ibelin[a]) serviu como regente para a herdeira entre 1205 e 1210, tornando-se o mais importante nobre latino da Palestina. Apesar da perda das terras ancestrais em Ibelin e Ramla para os muçulmanos, a fortuna da dinastia Ibelin prosperou nesse período. João recebeu o valioso título de senhor de Beirute, e sua família gozou de proeminente ligação com o Chipre franco. A influência de Ibelin foi desafiada pelo novato João de Brienne, um cavaleiro franco de Champagne, nascido na média aristocracia. João se casou com Maria em 1210 e, então, quando ela morreu em 1212, serviu como regente e governante de fato para Isabel II, sua filha ainda criança. Provavelmente em torno dos quarenta anos de idade, João era um militar experiente, com linhagem de cruzado, mas faltavam-lhe riqueza e ligações reais com o Ocidente. Ele passou por parte de sua carreira buscando garantir seu direito à coroa de Jerusalém – intitulando-se rei a despeito das objeções da nobreza local. João também buscou ganhar proeminência ao norte em 1214, quando se casou com a princesa Estefânia, herdeira do reino armênio cristão da Cilícia.

---

a   Balian de Ibelin foi um nobre do Reino de Jerusalém no século XII, filho mais novo de Barisano de Ibelin, irmão de Hugo de Ibelin e Balduíno de Ibelin. Seu pai tinha sido cavaleiro no Condado de Jafa, e foi recompensado com o título de Senhor de Ibelin após a revolta de Hugo II de Le Puiset. (N.T.)

Sob a astuta condução de seu falecido líder rubenida, o rei Leão I (governando como príncipe Leão II entre 1187 e 1198, e então como rei entre 1198 e 1218), o reino cristão oriental da Cilícia tornou-se uma força dominante na política do norte da Síria e da Ásia Menor durante o século XIII. Por meio de um misto de confronto militar e endogamia, a dinastia rubenida de Leão tornou-se intimamente ligada à história da Antioquia latina e de Trípoli. Seguindo-se à morte do conde Raimundo III de Trípoli de 1187, as linhas de sucessão do condado e do principado se entrelaçaram, e uma luta pelo poder entre reclamantes francos e armênios (ainda mais labiríntica que a testemunhada pela Palestina) ribombou até 1219, quando Boemundo IV assegurou o controle de Antioquia e de Trípoli.[8]

Esses prolongados conflitos internos enfraqueceram e inquietaram os cristãos do Ultramar nas primeiras décadas do novo século, restringindo severamente quaisquer tentativas de reconquista (e, de fato, problemas similares ocorreriam ao longo de todo o século). Mas o perigo representado por essas brigas mesquinhas foi mitigado, pelo menos em alguma medida, pela discórdia que igualmente afligia o Islã.

O destino do Império Aiúbida

Depois da morte de Saladino em 1193, o reino dos aiúbidas, que ele havia construído ao longo de duas décadas, fragmentou-se quase do dia para a noite. O sultão tinha a intenção de que o grosso de seu território fosse dividido entre seus três filhos sob a forma de uma confederação, com o mais velho, al-Afdal, responsável por Damasco e autoridade geral sobre as terras aiúbidas. Al-Zahir devia comandar Alepo, e Uthman governaria o Egito a partir do Cairo. Na verdade, o equilíbrio de poder logo se deslocou em favor de al-Adil, o astuto irmão de Saladino. Ele ficara com o controle da Jazira (noroeste da Mesopotâmia), mas suas habilidades e tramoias diplomáticas como estrategista político e militar possibilitaram que manobrasse os sobrinhos. A ascensão de al-Adil também foi facilitada pela incompetência de al-Afdal no governo de Damasco, que logo alienou muitos dos mais confiáveis conselheiros de seu pai e em 1196 já não estava em posição de governar a Síria. Agindo, pelo menos oficialmente, como representante de Uthman, al-Adil tomou o poder em Damasco naquele ano – deixando que al-Afdal partisse para um exílio impotente na Jazira. Quando Uthman morreu em 1198, al-Adil assumiu o controle total do Egito e, por volta de 1202, al-Zahir reconheceu a supremacia de seu tio.

Na primeira metade do século XIII, a parte do leão do mundo aiúbida estava, portanto, nas mãos de al-Adil e seus descendentes diretos, enquanto al-Zahir e sua linhagem retinham o controle de Alepo. Al-Adil governou como sultão, instalando três de seus filhos como emires regionais: al-Kamil no Egito, al-Mu'azzam em Damasco e al-Ashraf em Jazira. Jerusalém desempenhava apenas um papel menor dos negócios aiúbidas e, com certeza, não funcionava como nenhum tipo de capital. A despeito de seu significado espiritual, a posição isolada da Cidade Santa nas colinas da Judeia significava que seu valor político-econômico era limitado. Embora al-Adil e seus sucessores fizessem esforços intermitentes para manter e beatificar os Lugares Santos, a cidade era geralmente negligenciada. De maneira similar, a ideia de desencadear a *jihad* contra os francos ficou em suspensão, embora os aiúbidas ainda reclamassem seus títulos com a retórica da guerra santa.

Na verdade, al-Adil adotou uma postura altamente pragmática em seus negócios com o Ultramar, em parte devido às ameaças mais urgentes representadas por outros rivais: os muçulmanos zênguidas da Mesopotâmia e os turcos seljúcidas da Anatólia, além dos cristãos orientais da Armênia e da Geórgia. Uma vez no poder, al-Adil concordou com uma série de tréguas com os francos que ficaram quase intactas ao longo dos primeiros anos do século XIII (1198-1204, 1204-10, 1211-17) e foram amplamente preservadas. Como sultão, al-Adil também forjou laços comerciais mais estreitos com as potências econômicas de Veneza e Pisa.

A despeito da natureza relativamente branca das relações muçulmano-latinas, os aiúbidas provavelmente teriam buscado mais ganhos territoriais à custa do Ultramar se não fosse por um certo número de considerações adicionais sustentando a história dos Estados cruzados e o Oriente Próximo mais amplo.[9]

As ordens militares

Ao longo do século XIII, os movimentos religiosos que combinavam as profissões de cavaleiro e monge – as Ordens Militares – assumiram papéis cada vez mais predominantes e essenciais na história do Ultramar. O problema que havia perturbado os Estados cruzados desde seu início, o de isolamento com relação ao Ocidente e falta de recursos humanos e materiais, só se aprofundou depois da Terceira Cruzada.

A ampliação do ideal cruzado para locais como a Península Ibérica e o Báltico, as guerras santas contra os inimigos do papa e os heréticos, bem como o desvio de recursos para defender a nova unidade política do Império Latino de Constantinopla serviram todos para exacerbar a situação do Levante franco. O mesmo se pode afirmar com relação à endêmica facção política nos Estados cruzados sobreviventes.

Contra esse fundo, os templários e hospitalários entraram em ascensão; e a estas duas ordens bem estabelecidas juntou-se um importante terceiro grupo – os Cavaleiros Teutônicos. Este movimento foi fundado durante a Terceira Cruzada, quando os cruzados alemães estabeleceram um hospital de campo fora de Acre por volta de 1190. Em 1199 o papa Inocêncio III confirmou seu status como nova ordem de cavalaria, e eles passaram a gozar de uma associação particularmente íntima com a dinastia Hohenstaufen e a Alemanha. Nos anos que se seguiram, os cavaleiros teutônicos, como os templários e hospitalários antes deles, assumiram um papel cada vez mais militarizado. Nesse ponto, virou costume entre os templários usar um manto branco brasonado com uma cruz vermelha, enquanto os hospitalários usavam uma cruz branca sobre um fundo negro. Os cavaleiros teutônicos, em contraste, adotaram um manto branco com uma cruz negra.

Como resultado de seu crescente poderio militar, político e econômico, essas três ordens se tornaram os alicerces do Oriente latino, e sua contribuição fundamental para a continuada sobrevivência do Ultramar já ficou aparente quando Jaime de Vitry chegou a Acre. A influência gozada por cada uma das ordens estava intimamente relacionada com o apoio papal que continuavam a receber, pois preservava a independência delas em relação à jurisdição eclesiástica e política local, bem como as isentava de pagar dízimos. As ordens também possuíam uma incrível capacidade de atrair doações de nobres da Europa cristã, assim adquirindo grandes porções de terra no Ocidente. As três ordens também adquiriram terras na ilha de Chipre.

A popularidade e o status supranacional característicos capacitaram as Ordens Militares a recrutar novos membros (assim, suprindo o Ultramar com combatentes) e a canalizar riquezas do Ocidente para a guerra pela

Terra Santa – com uma taxa de um terço, ou "responso", de seus ganhos enviada para o Oriente. No final do século XII, as ordens tinham desenvolvido um sistema internacional de administração financeira tão elaborado e seguro que se tornaram efetivamente os banqueiros da Europa e do movimento cruzado. Com o que pode ser considerado, essencialmente, o primeiro uso de um cheque na história, tornou-se possível depositar dinheiro no Ocidente e receber uma nota de crédito que podia ser resgatada na Terra Santa.

O caráter marcial das Ordens Militares também se tornou mais enraizado. Os templários e os hospitalários podiam ambos pôr em campo cerca de trezentos cavaleiros no Levante, além de algo em torno de dois mil sargentos (membros de status inferior). Em termos numéricos, isso significava que eles amiúde contribuíam com metade ou mais das forças de combate francas em tempos de guerra. Suas tropas altamente treinadas e bem-equipadas também estavam dispostas e tinham a capacidade de servir ao longo de todo o ano e não apenas por períodos limitados como um exército formado por um recrutamento feudal normal. Cópias remanescentes das "Regras" (ou regulamento escrito) comandando as vidas dos membros indicam quanta ênfase era colocada sobre a disciplina militar estrita e absoluta no campo. A Regra Templária, por exemplo, fornecia um guia detalhado de tudo, de marchar a montar acampamento e saquear, sempre com forte ênfase na rígida obediência a uma cadeia de comando e uma unidade de ação – os pré-requisitos críticos para o sucesso e a sobrevivência entre tropas pesadamente armadas. As transgressões eram punidas severamente. Os infratores podiam ser temporariamente privados de seus hábitos e postos a ferro, ou até expulsos da ordem.

Ao lado da indubitável força das três principais Ordens Militares, houve algumas dificuldades e perigos a serem encarados ao longo do século XIII. Com o enfraquecimento da autoridade real e principesca em locais como Acre e Antioquia, a capacidade de as ordens buscarem seus próprios objetivos e anseios aumentou, bem como o potencial de uma danosa rivalidade entre os três movimentos – os templários e hospitalários, por exemplo, apoiaram partidos diferentes durante a disputa pela sucessão em Antioquia. O papel maior das ordens em outros palcos de conflito, incluindo os intensos compromissos dos cavaleiros teutônicos na fronteira báltica, também funcionaram como dreno nos esforços de guerra levantinos.

Com o tempo, grupos como os templários também sofreram um declínio gradativo no fluxo de doações de patronos latinos, em parte relacionado às mudanças de atitude com a vida religiosa e à diminuição do interesse pelo destino do Ultramar. Devido ao fato de eles terem se colocado na linha de frente da guerra santa durante décadas, os recebedores dessa extraordinária generosidade por parte da população cristã latina, as Ordens Militares também tiveram que enfrentar uma crítica significativa, e até mesmo severa, quando ocorriam os reveses na luta contra o Islã. No todo, estas últimas considerações só ocorreram a partir de 1250. Mas, mesmo assim, os templários, hospitalários e cavaleiros teutônicos ainda retinham acesso a enormes reservas de soldados e riquezas.[10]

Castelos cruzados

Ao longo dos séculos XII e XIII, as Ordens Militares ficaram intimamente associadas às grandes fortalezas "cruzadas" do Oriente Próximo, visto que em 1200 eram os únicos latinos com poder no Levante para arcar com os exorbitantes custos associados à construção e manutenção de castelos, e que também tinham os homens necessários para guarnecer essas fortalezas. Com a imensa perda de territórios sofrida depois de 1187, os castelos passaram a desempenhar um papel ainda mais vital na defesa contra o remanescente fragmentado e exposto dos Estados cruzados. E um número cada vez menor de francos no Levante aumentou ainda mais a dependência das defesas físicas oferecidas por essas fortificações.

Nenhum castelo medieval era totalmente inexpugnável, e tampouco podia deter um exército invasor em sua trilha. Mas as fortalezas efetivamente ajudaram as Ordens Militares a dominar porções do território e defender as fronteiras. Também serviram como postos avançados relativamente seguros a partir dos quais se podiam lançar ataques e ofensivas, bem como funcionaram como centros administrativos. No século XIII, contudo, com muito menos terra sob seu controle, os cristãos contavam com de menos fortalezas que se posicionavam próximas ao mar (para facilitar o apoio) ou que possuíam sistemas de defesa altamente evoluídos. Nessas condições, só as Ordens Militares podiam construir e conservar castelos de tamanho e força necessários.

Na primeira metade do século XIII, as três principais ordens destinaram vastas quantias de dinheiro e energia para modificar e ampliar castelos existentes, ou, no caso da poderosa fortaleza teutônica de Montfort (no interior, partindo de Acre), para projetar e construir novas fortalezas. A partir da década de 1160, os francos começaram a construir fortalezas com mais de um conjunto de muralhas – os chamados "castelos concêntricos" – mas esse procedimento alcançou novos patamares depois de 1200. Grandes avanços também foram feitos nas técnicas de cantaria, a capacidade de erigir formas arredondadas de torres de defesa mais resistentes (embora mais complexas do ponto de vista arquitetônico), bem como o emprego de muralhas inclinadas para impedir o solapamento. Além disso, melhorias nos projetos de tetos abobadados possibilitaram aos latinos construir enormes depósitos e estábulos – essenciais para o suprimento de grandes guarnições, durante essa era de ouro da construção de castelos, as Ordens Militares ergueram algumas das fortificações mais avançadas da era medieval.[b]

Depois de chegar ao Levante, Jaime de Vitry, o novo bispo de Acre, percorreu muitas dessas fortalezas no início de 1217, descrevendo suas visitas numa carta naquela primavera. A fortaleza mais impressionante incluída no itinerário de Jaime foi o Krak des Chevaliers, na extremidade sul das Montanhas de al-Ansariyah, acima do vale de al-Bouqia. Propriedade dos hospitalários desde 1144, o Krak era considerado desde muito tempo como uma formidável fortaleza. Isso era devido, também, às suas defesas naturais – estava posicionado no ponto mais alto de uma cadeia de montanhas. Saladino nunca fez uma tentativa sequer de sitiar o local depois de sua vitória em Hattin. No início do século XIII, os hospitalários empreenderam um grande programa de reconstrução (provavelmente em continuidade quando da visita de Jaime), e, quando essas reformas e melhorias ficaram prontas, Krak tornou-se uma fortaleza quase perfeita, capaz de abrigar uma guarnição de dois mil homens. Ainda em pé nos dias de hoje, o castelo é, sem dúvida, o monumento mais espetacular da época

---

b   A fortaleza mais importante dos templários, o Castelo dos Peregrinos (ou Athir), foi iniciada em 1218 com a ajuda e iniciativa de peregrinos latinos, e se dizia que podia comportar quatro mil homens. A fortaleza agora está em ruínas, mas serve como base militar israelense e, portanto, não pode ser visitada. A ordem também reconstruiu o importante castelo de Safad, no interior, ao norte da Galileia, durante o início do século XIII.

das cruzadas. Talhado em pedra calcária, possui uma elegante beleza de proporções; sua feitura, sem paralelo na região, faz frente à dedicação, impecável precisão e excelência arquitetônica encontradas em fortalezas na Europa Ocidental dessa mesma época. Seu elaborado sistema defensivo inclui duas linhas de muralhas, com um fosso interno e um circuito externo de torres arredondadas e *mâchicoulis* (protuberâncias que davam aos arqueiros e outros defensores linhas de fogo mais fáceis). Para entrar no castelo é preciso percorrer um túnel de inclinação ascendente, reforçado por numerosos buracos assassinos[c] e portões. E por toda parte a qualidade da alvenaria é extraordinária – os blocos de calcário foram cortados com tal precisão que praticamente não se vê nenhuma argamassa.[11]

Comércio e economia do Ultramar

Tanto as Ordens Militares quanto os castelos como o Krak des Chevaliers ajudavam a sustentar a integridade defensiva do Ultramar, mas a continuada sobrevivência dos Estados cruzados na verdade pode ser atribuída, acima de tudo, a outro fator, para além da esfera da guerra: o comércio. Os francos que se estabeleceram no Oriente haviam mantido contatos comerciais com o mundo levantino por todo o século XII, mas depois da Terceira Cruzada, o escopo, extensão e significado desses laços aumentaram. Com o tempo, o poder latino e o islâmico do Oriente Próximo desenvolveram laços tão estreitos de interdependência comercial que os muçulmanos da Síria e do Egito prefeririam permitir que os cristãos mantivessem os escassos apoios ao longo da costa a arriscar qualquer interrupção do comércio e do fluxo de renda.

O controle franco dos portos da Síria e da Palestina – os portões do comércio mediterrâneo – provou ser vital nesse sentido. Outras forças mais amplas também cooperavam para a vantagem do Ultramar. Até o século XIII, o porto egípcio de Alexandria operou como o centro do comércio entre o Oriente e o Ocidente. Entretanto, depois de 1200, o modelo e o fluxo das transações comerciais foram mudando

---

c   Buracos no teto de uma entrada ou da casa de guarda em uma fortificação, através dos quais os defensores poderiam disparar, lançar ou despejar substâncias ou objetos nocivos, como rochas, flechas, água escaldante, areia quente, cal virgem, alcatrão ou óleo fervente sobre os atacantes. (N.T.)

gradativamente. A conquista latina de Constantinopla em 1204 afetou a distribuição de mercados e, o que foi ainda mais decisivo, o advento dos mongóis revitalizou as rotas terrestres de comércio da Ásia. O Ocidente latino era a rede beneficiária de todos esses processos, enquanto o Egito lentamente perdia sua posição dominante. Alexandria continuou a desfrutar de um intenso comércio de mercadorias de alto valor vindas das Índias, incluindo especiarias como pimenta, canela e noz-moscada, além de drogas "medicinais" como gengibre, aloé e as folhas de sena. O Egito também continuava a ser o maior fornecedor para a Europa de alume (ingrediente essencial para o curtume). Mas na maioria dos outros casos, o Ultramar tornou-se o principal centro de comércio do Levante. O simples fato de os latinos terem se estabelecido no Oriente por mais de um século tinha lhes dado tempo para solidificar as complexas redes de transporte e comunicação necessárias para explorar essa oportunidade. E a vitalidade econômica dos Estados cruzados havia sido ampliada nesse mesmo período pelo investimento e aperfeiçoamento da enormemente lucrativa produção de bens como cana-de-açúcar, seda e algodão, além de objetos de vidro que podiam ser manufaturados nos territórios latinos remanescentes e então embarcados e vendidos para o Ocidente.

Isso tudo significava que, no decorrer do século XIII, as cidades francas como Antioquia, Trípoli, Beirute e Tiro desfrutavam de notável prosperidade. Sem dúvida, contudo, o principal centro de comércio do Ultramar era Acre. Depois da Terceira Cruzada, esse porto tornou-se a nova capital da Palestina franca e local da residência real. Dentro da cidade "velha" do século XII, cada um dos principais poderes do reino tinha suas próprias sedes – desde templários, hospitalários e cavaleiros teutônicos aos mercadores italianos de Veneza, Pisa e Gênova – e muitos deles tornaram-se enclaves murados, compreendendo edifícios de vários andares. A cidade também continha numerosos mercados, alguns dos quais eram cobertos e ofereciam abrigo contra o intenso calor do verão, e ainda outros edifícios dedicados à indústria. A usina de açúcar de Acre havia sido desmantelada pelos aiúbidas em 1187, mas as oficinas de vidro e metal permaneciam, bem como a rua dos curtumes, enquanto uma fábrica que produzia sabão de alta qualidade situava-se no bairro genovês.

Antes de 1193 ocorreu uma grande expansão do circuito das muralhas da cidade, particularmente nas áreas que davam para o interior ao norte e a leste, longe do promontório e das docas mais movimentadas, junto ao mar. Agora, Acre rapidamente se tornava intensamente urbanizada e populosa, o que eventualmente levou à expansão das principais muralhas ao norte para incorporar o subúrbio conhecido como Montmusard. E apesar de muitas partes da cidade terem desenvolvido sistemas de esgoto notoriamente avançados, esse intenso crescimento significava que a metrópole populosa ia acabar sujeita a horrendos níveis de poluição e aos riscos associados a doenças e epidemias. Boa parte dos dejetos de Acre, inclusive os provindos do matadouro real e do mercado de peixes, era despejado no porto, que ficou conhecido como "*lordemer*" (o mar imundo). Em meados do século XIII, a situação ficou tão extrema que uma igreja do bairro veneziano teve suas principais janelas com vista para o porto vedadas, para impedir que a brisa com o odor dos refugos chegasse ao altar.

Foi nessa capital movimentada que Jaime de Vitry se estabeleceu depois de 1216, como o novo bispo latino. Ele achou Acre um verdadeiro covil de iniquidade – "uma segunda Babilônia", "cidade horrível... cheia de incontáveis atos vergonhosos e maus feitos", e as pessoas "totalmente devotadas aos prazeres da carne". Jaime ficou surpreso com o caráter cosmopolita do porto. O francês arcaico ainda era a principal língua do comércio, mas pelas ruas de Acre uma pletora de outras línguas ocidentais – provençal, inglês, italiano e alemão – misturava-se às línguas do Levante, algumas faladas por visitantes, outras por residentes cristãos orientais e judeus.

Acre era o mais importante ponto de encontro entre o Ocidente e o Oriente no século XIII. Isto se devia em grande parte à nova função da cidade como principal entreposto do Mediterrâneo – o armazém do Levante, para o qual mercadorias de todo o Ultramar, do Oriente Próximo e além eram trazidas antes de serem embarcadas para o Ocidente. Acre também se tornou o portal para o crescente volume de retorno de comércio da Europa para o Oriente.

Uma variedade de diferentes mercadorias passava pela cidade. Matérias-primas, como fibras de seda, algodão e linho chegavam em fardos dos centros locais de produção da Palestina e de terras muçulmanas próximas, enquanto os produtos manufaturados, como a seda produzida em Antioquia, também eram comercializados. Muitas mercadorias eram beneficiadas ou de certa forma tratadas ali e exportadas para mercados distantes: cana-de-açúcar das plantações palestinas; vinho da Baixa Galileia, de Laodiceia e de Antioquia; tâmaras do vale do Jordão. Soda cáustica – produzida pela queima de plantas em área de alta concentração salina (como as regiões costeiras) para fornecer cinzas alcalinas – era usada para tingir tecidos e fabricar sabão; também era essencial para a produção de vidro (o que era manufaturado localmente fazia uso da areia de excelente qualidade proveniente do rio Belus). Uma notável realização do século XIII foi o aumento do tráfico comercial do Ocidente para o Oriente. Tornava-se cada vez mais comum que mercadores latinos viajassem para o território muçulmano, comercializando lã (especialmente as peças produzidas em Flandres) e açafrão (a única especiaria ocidental a encontrar mercado no Oriente) em locais como Damasco, antes de retornarem a Acre com uma nova carga de sedas, pedras preciosas e semipreciosas.

Num ano normal, Acre passava por dois períodos de intensa atividade – pouco antes da Páscoa e no final do verão – quando o grosso dos navios chegava do Ocidente, trazendo hordas de comerciantes e viajantes. Nessas épocas, as docas ficavam cheias de cambistas e camelôs que se ofereciam para ajudar os recém-chegados a encontrar acomodação ou servir como guia em passeios pela cidade. O porto já tinha uma longa história como o principal ponto de chegada para os peregrinos cristãos à Terra Santa, mas, com o acesso a Jerusalém e outros locais sagrados restringidos depois da Terceira Cruzada, Acre surgiu como destino de peregrinação próprio. A cidade possuía cerca de setenta igrejas, relicários e hospitais para atender às necessidades desses visitantes, e um ativo comércio de objetos devocionais localmente produzidos, que incluíam ícones pintados. A cidade também se tornou o mais importante centro de produção de livros no Oriente latino, com um escritório empregando alguns dos melhores escribas do período medieval, que copiavam obras de história e literatura, e uma rica clientela cosmopolita.[12]

Sustentado por essa gama de atividade comercial, Acre era um dos pontos principais da vida no Oriente latino. A história da cidade também comprova o fato de que o comércio internacional era o pilar central a sustentar o Ultramar ao longo do século XIII.

20. NOVOS CAMINHOS

Enquanto as forças do comércio continuavam a moldar a vida no Ultramar, a Europa Ocidental se preparava para outra grande ofensiva na guerra pela Terra Santa, programada para coincidir com o fim da última trégua com os aiúbidas em 1217 – a campanha concebida e anunciada pelo papa Inocêncio III antes de sua morte, conhecida como a Quinta Cruzada. De longe, o mais poderoso recrutado para essa expedição era Frederico II da Alemanha (neto de Frederico Barbarroxa, participante da Terceira Cruzada). Nascido em 1194 como herdeiro da dinastia Hohenstaufen, ele reivindicava o poderoso Império Alemão e o opulento Reino da Sicília. Mas a morte inesperada de seu pai Henrique VI, em 1197, deixou o príncipe infante numa espécie de limbo (ele cresceu na Sicília, enquanto outros candidatos contestavam a geograficamente distante sucessão alemã).

Frederico foi elevado ao trono siciliano quando atingiu a maioridade em 1208. Julgando que o jovem monarca era confiável e uma peça manobrável, Inocêncio III decidiu apoiar sua candidatura como governante da Alemanha, e ele foi proclamado como novo rei em 1211. Seu status real mais tarde foi reforçado por uma cerimônia de coroação em Aachen (ou Aquisgrana, a tradicional sede do poder, antiga capital de Carlos Magno) em 1215. Neste ponto, Frederico fez duas promessas: assumir o voto de cruzado e não exercer o poder conjunto da Alemanha e da Sicília, outorgando este último para seu próprio filho Henrique (VII), ainda menino. Desta forma, o papa Inocêncio acreditava ter garantido inestimável apoio à sua guerra santa e salvaguardado Roma da ameaça de cerco pelos Hohenstaufen. Até sua morte o papa acreditou que este acordo duraria, mas os fatos provariam que ele estava redondamente enganado. Logo ficou claro que Frederico tinha toda intenção de criar um reino Hohenstaufen unificado – na verdade, ele aspirava governar um grande e expansivo império cristão, cuja força e escala ultrapassariam qualquer coisa vista na Idade Média. Sua carreira surpreendente lançaria uma longa sombra sobre o movimento cruzado.[13]

Em 1216, com Inocêncio III morto e seu sucessor, Honório III, no poder, Frederico começou a manobrar para obter vantagens próprias. Seu objetivo inicial foi assegurar o título imperial – algo que exigiria o envolvimento papal em sua coroação – sem ter que ceder o controle da Sicília. Para persuadir Honório dos méritos dúbios deste arranjo, o rei usou seu voto de cruzado como alavanca, deixando claro que só embarcaria na campanha depois de ungido imperador. Delicadas e prolongadas negociações se seguiram, deixando a sedutora e potencialmente dividida perspectiva do envolvimento de Frederico pairando sobre a Quinta Cruzada.

A QUINTA CRUZADA

Enquanto Frederico II e o papa Honório regateavam seus termos, os primeiros contingentes de tropas cruzadas da Áustria e Hungria começaram a chegar à Palestina. Em 1217, os latinos promoveram três incursões inconclusivas em território aiúbida, mas esses primeiros simulacros foram apenas precursores da expedição principal. Com a chegada, no verão de 1217, de cruzados frísios e alemães – entre eles o pregador e erudito alemão Olivier de Paderborn – o palco estava montado para um ataque total. João de Brienne (agora reclamando o título de rei de Jerusalém), as Ordens Militares, os nobres francos do Levante e Jaime de Vitry, bispo de Acre, juntaram-se à empreitada. Em 1218, a Quinta Cruzada estava pronta para pôr os olhos em um novo alvo.

O objetivo declarado da campanha ainda era retomar Jerusalém do sultão aiúbida al-Adil, mas os francos preferiram não marchar contra a Palestina muçulmana. Em vez disso, nas palavras de Jaime de Vitry: "Nós planejamos avançar até o Egito, que é uma terra fértil e a mais rica do Oriente, da qual os sarracenos extraem o poder e a riqueza que lhes capacitam o poder sobre nossa terra, e, depois de termos capturado essa terra, poderemos facilmente recuperar todo o Reino de Jerusalém". Esta estratégia fazia eco aos planos formulados por Ricardo Coração de Leão no início da década de 1190 e, segundo alguns de seus líderes, a Quarta Cruzada também tencionava atacar o Egito antes de ser redirecionada para Constantinopla.

Na verdade, uma ofensiva egípcia provavelmente tivesse figurado desde o início na concepção que o papa Inocêncio III fizera dessa nova cruzada.[14]

O principal objetivo dos cristãos era a cidade de Damieta, distante cerca de 160 quilômetros do Cairo – um posto avançado que Olivier de Paderborn descreveu como "a chave para todo o Egito". Os cruzados chegaram de navio à costa norte-africana em maio de 1218, desembarcando na margem oeste de um dos importantes braços do delta do Nilo, de onde corria para o Mediterrâneo. A cidade pesadamente fortificada de Damieta ficava a uma curta distância para o interior, entre a margem oriental do Nilo e uma grande porção interna de água salgada conhecida como Lago Mansallah. Segundo Olivier, a metrópole era protegida por três linhas de muralhas, com um largo e profundo fosso situado para além da primeira muralha e um circuito de vinte e oito torres reforçando a segunda.

Tendo declaro João de Brienne como líder, os cruzados montaram acampamento na margem ocidental do rio, em oposição à cidade. Enquanto isso, al-Kamil, emir do Egito e filho de al-Adil, marchava para o norte a partir do Cairo e posicionava suas forças para vigiar Damieta na margem oriental do Nilo. O primeiro desafio dos francos foi conseguir livre acesso ao rio. Seu caminho foi bloqueado por uma vigorosa corrente colocada entre a cidade e uma ilha fortificada, conhecida como a Torre da Corrente, no meio do Nilo, que impedia qualquer navio de subir o rio (e o trecho do Nilo entre a torre e a margem ocidental se tornara muito limoso e, portanto, intransponível). Durante o verão, os cruzados fizeram várias tentativas infrutíferas de capturar esse posto avançado, usando navios incendiários e bombardeios. Por fim, o imaginativo Paderborn construiu uma engenhosa torre de assédio aquática a partir de dois navios, com pontes levadiças controladas por um sistema de polias e roldanas – que ele descreveu como "um trabalho de madeira que nunca antes havia sido construído no mar" – e os francos usaram essa fortaleza flutuante para lançar um ataque bem-sucedido em 24 de agosto de 1218. Cortando a corrente, os cruzados assumiram o controle do rio.

Os francos pareciam controlar a situação naquele verão. O ataque ao Egito pegara al-Adil de surpresa. Essa campanha também coincidiu com uma tentativa perturbadora, embora totalmente ineficaz, de al-Afdal, o filho exilado de Saladino, de assumir o controle de Alepo com a ajuda dos seljúcidas da Anatólia. Tendo passado o verão estabilizando a Síria, al-Adil estava prestes a voltar para o Egito quando caiu doente e faleceu em 31 de agosto. Quando os cruzados souberam de sua morte, acharam que o choque de seu recente sucesso na torre o havia matado, e Olivier concluiu alegremente que o falecido sultão seria "enterrado no inferno". Al-Adil tinha sido um grande defensor da causa aiúbida, porém, embora sua morte tivesse enfraquecido o Islã, ela não provocou um colapso da resistência muçulmana. Al-Kamil estava bem preparado para ocupar o vazio deixado por seu pai – a única questão era se os seus irmãos, al-Mu'azzam em Damasco e Al-Ashraf na Jazira, lhe dariam total apoio. Se não fosse assim, al-Kamil poderia decidir quais seriam suas prioridades: resistir aos cruzados ou assegurar sua supremacia sobre o reino dos aiúbidas.[15]

O cardeal Pelágio

De uma posição fortalecida no final do verão de 1218, a Quinta Cruzada perdeu rapidamente o ímpeto. Grande parte disso se deveu a uma nova característica da campanha. Graças às reformas administrativas e financeiras introduzidas pelo papa Inocêncio III, a expedição estava relativamente bem equipada em termos financeiros e apoiada por uma ampla frota. Isso significava que os cruzados poderiam voltar para a Europa sem muita dificuldade, quando novos contingentes chegassem ao Oriente para substituí-los. Aparentemente, essa prática parecia bastante razoável, pois permitia que a campanha se renovasse com a introdução de novos contingentes humanos. Na realidade, contudo, isso teve um efeito prejudicial para o moral dos francos que permaneciam na linha de frente e impediu o desenvolvimento de laços de confiança e familiaridade entre os cruzados, características que haviam demonstrado ser tão essenciais para as expedições anteriores.

As idas e vindas de contingentes latinos também provocaram mudanças na liderança e outras associadas ao pensamento estratégico. Enquanto o verão de 1218 se aproximava do fim, um grande número de alemães e frísios partiu para a luta. Ao mesmo tempo, o clérigo espanhol Pelágio, cardeal-bispo de Albano, chegou ao acampamento cruzado com forças vindas da França, Inglaterra e Itália. Pelágio – um personagem enérgico e obstinado – veio para o cerco de Damieta como legado papal, na esperança de realizar a ambição de Inocêncio III de uma cruzada comandada pela Igreja. Alguns historiadores modernos atribuíram ao cardeal uma pressão atrofiante, com um estudioso afirmando que ele era de uma "falta de visão irremediável (e) também incomumente teimoso". Também já se sugeriu que ele assumiu imediatamente o comando geral da Quinta Cruzada. Nenhuma dessas opiniões é precisa. Na verdade, a autoridade e a influência de Pelágio só foram crescendo gradativamente e ele, no mínimo, cooperou efetivamente com outras proeminentes figuras, como João de Brienne. A liderança eclesiástica do cardeal também ajudou a engendrar um renovado senso de devoção religiosa no exército, elevando os espíritos e o moral. Isso se mostraria um importante fator diante das provações que estavam por vir.

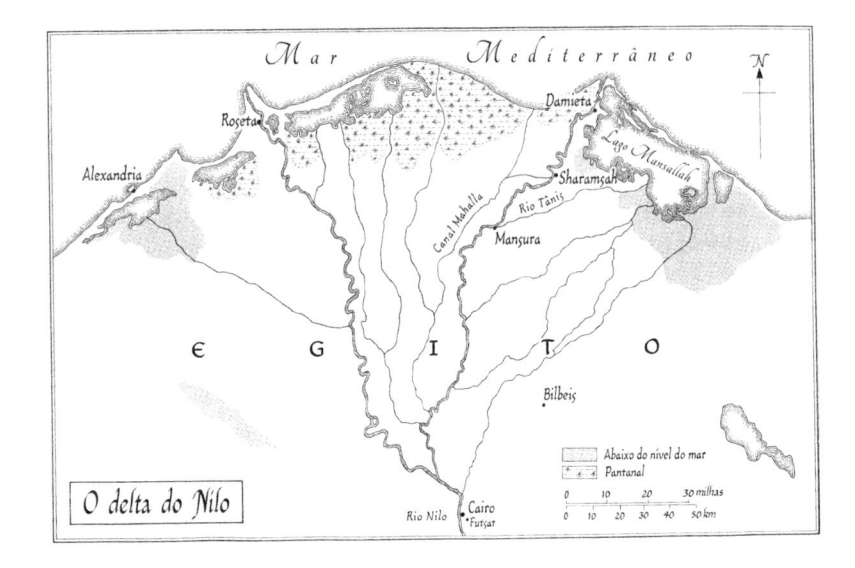

Nos meses que se seguiram à chegada de Pelágio, os latinos enfrentaram um desafio que outros cruzados antes deles tinham conhecido: um cerco do inverno. Reunidos na margem ocidental do Nilo, do outro lado de Damieta, eles enfrentaram os mais variados tormentos. Na noite de 29 de novembro, um mar encapelado provocou ondas que invadiam a terra, inundando o acampamento franco, de modo que os cruzados acordaram com peixes em suas tendas. A dieta pobre levou a um surto de escorbuto.

Olivier de Paderborn descreveu como "a carne corrompida cobria as gengivas e os dentes" dos que a doença afligia "anulando a capacidade de mastigar (e causando) um horrível enegrecimento das canelas", enquanto Jaime de Vitry relembrava ter visto cruzados padecendo desta doença devastadora imersos num coma mortal, "como os que caem adormecidos". Dizia-se que todos os cristãos ficavam doentes com a visão da areia, só desejando contemplar campos de vegetação verde. É claro que a população de Damieta também sofria, bem como al-Kamil em seu acampamento ao sul. No início de 1219 ele foi forçado a voltar ao Cairo para comandar um golpe, mas a bem-vinda chegada de seu irmão al-Mu'azzam evitou o perigo, e al-Kamil pôde voltar ao cerco antes que os francos obtivessem uma vantagem significativa.[16]

Impasse

Os primeiros oito meses de 1219 decorreram num impasse. Os cruzados estavam suficientemente entrincheirados em seu lado do Nilo para ficarem a salvo de ataques, mas lhes faltavam homens e recursos para superar as defesas de Damieta ou afastar al-Kamil do campo. A posição dos latinos piorou quando novas ondas de tropas retornaram para o Ocidente em maio. Durante boa parte desses períodos, havia grandes esperanças da chegada iminente de Frederico II. Todos os cruzados, inclusive Pelágio, esperavam que o governante Hohenstaufen aparecesse à frente de um exército amplo e indomável – que dobrasse toda a resistência aiúbida. O problema era que Frederico ainda estava na Europa, discutindo com Roma sobre sua coroação, e por fim chegou ao Egito a má notícia de que ele não se juntaria à campanha, no mínimo, antes de 1220. Jaime de Vitry relembrou o clima do exército quando escreveu: "A maioria de nossos homens estava tomada pelo desespero".[17]

O período testemunhou um dos visitantes mais inusitados de um palco de guerra cruzada. No verão de 1219, o venerando São Francisco de Assis – que advogava os princípios medicantes de extrema pobreza e evangelismo arrebatado – chegou ao acampamento cristão. Ele fizera a viagem ao Egito portando os farrapos de um homem santo, na crença de que traria paz ao mundo (e sucesso para os cruzados) convertendo os muçulmanos ao cristianismo. Cruzando as linhas do conflito sob os termos de uma negociação, o irmão Francisco implorou aos atônitos soldados egípcios que o levassem até al-Kamil. Tomando-o por um mendigo louco, porém inofensivo, eles concordaram. Na bizarra audiência que se seguiu, al-Kamil educadamente recusou a oferta de Francisco de demonstrar o poder do Deus cristão caminhando sobre uma fogueira, e o santo acabou voltando de mãos abanando.

A despeito desse notável espetáculo, o cerco prosseguiu, e o final do verão trouxe novos problemas. O relativo sucesso das colheitas egípcias sempre tinha sido intimamente associado às menores flutuações da cheia anual do Nilo. Naquele ano o rio não transbordou em muitas áreas e isso causou enormes aumentos no preço dos grãos e falta de alimento. Em setembro, al-Kamil reconhecera que a exaurida guarnição de Damieta estava à beira de um colapso e, portanto, ofereceu uma trégua aos cruzados. Em troca do término do cerco, ele prometia devolver Jerusalém e a maior parte da Palestina aos francos, e até mesmo se comprometeu a devolver a Verdadeira Cruz. Os castelos de Kerak e Montreal, na Transjordânia, permaneceriam em mãos aiúbidas, mas como compensação os muçulmanos pagariam um belo tributo anual.

Essa extraordinária proposta confirmava que as verdadeiras prioridades dos aiúbidas estavam no Egito e na Síria, e não na Palestina. A proposta também parecia recolocar a Terra Santa sob controle cristão, insuflando nova vida ao Reino de Jerusalém e todo o Ultramar. Contudo, nessa conjuntura crítica, o primeiro sinal claro de dissensão entre os líderes da expedição começou a aparecer. João de Briene e a Ordem Teutônica expressaram apoio informal para o pacto, assim como muitos cruzados. Mas, no final, as opiniões do cardeal Pelágio – endossadas por templários, hospitalários e venezianos – prevaleceram, e a oferta de al-Kamil foi recusada. Foram expressas preocupações legítimas com relação à viabilidade defensiva de um reino franco desprovido de suas fortalezas transjordanianas – embora, de maneira realista, Kerak e Montreal fossem essenciais para as esperanças de al-Kamil de manter linhas seguras de comunicação entre o Egito e Damasco. Os venezianos também poderiam estar mais interessados no potencial comercial de Damieta que na recuperação de Jerusalém. Mas a consideração básica por trás da decisão de Pelágio era a sincera crença de que a eventual chegada de Frederico II facilitaria ganhos ainda maiores e mais decisivos.

Com o fechamento das negociações, o final do verão trouxe um novo e desordenado círculo de partidas e chegadas para o exército cruzado. No início de novembro de 1219, al-Kamil fez uma última tentativa de desalojar os francos, lançando uma grande ofensiva, mas suas tropas foram rechaçadas. Neste ponto, a população de Damieta estava num estado desesperador. Na noite de 5 de novembro, alguns cruzados italianos perceberam que uma das torres parcialmente em ruínas da cidade havia sido deixada indefesa. Avançando rapidamente com uma escada, escalaram as muralhas e logo chamaram outras tropas. Lá dentro, os latinos se depararam com um espetáculo sinistro. Olivier descreveu como eles "encontraram (as) ruas cheias dos corpos dos mortos, abatidos pela peste e a fome"; quando as casas foram revistadas, enfraquecidos muçulmanos foram encontrados deitados em camas ao lado de cadáveres. O investimento de dezoito meses dos cruzados havia cobrado um preço horrivelmente alto dos defensores da cidade – dezenas de milhares haviam perecido. Não obstante, os francos celebraram seu sucesso há tanto aguardado, pilhando grandes quantidades de ouro, prata e sedas. Jaime de Vitry, nesse ínterim, supervisionava o batismo imediato das crianças muçulmanas sobreviventes.[18]

Quando al-Kamil percebeu que Damieta havia caído, bateu apressadamente em retirada, sessenta quilômetros ao sul do Nilo, para fixar posição em Mansura. Agora ele tinha mais que tempo suficiente para preparar suas defesas, pois, animada pelo sucesso, a Quinta Cruzada estava paralisada pela indecisão. A primeira questão contenciosa foi o destino de Damieta. João de Brienne pensou em reclamá-la – e mais tarde chegou a cunhar moedas afirmando seu direito sobre a cidade –, mas Pelágio desejava conservá-la (e a parte que cabia à Igreja dos espólios recolhidos) para os interesses do papado e Frederico II. Um compromisso temporário foi finalmente acertado, permitindo que João ficasse com a cidade até o rei alemão aparecer.

Ainda mais problemática foi a questão da futura estratégia. A cruzada havia atacado Damieta como meio de conseguir um objetivo, mas agora surgiam questões intratáveis quanto ao próximo passo. A cidade deveria ser usada como moeda de barganha para garantir o retorno da Terra Santa em termos ainda mais favoráveis que os já oferecidos? Ou a Quinta

Cruzada deveria considerar um ataque em escala total sobre o Egito, subindo o Nilo para esmagar al-Kamil e conquistar o Cairo?

Para obter a vitória

Numa atitude sem precedente de indecisão angustiante, a Quinta Cruzada passou o ano e meio seguinte escondida em Damieta considerando essas questões – sempre assombrada pelo espectro da prometida chegada de Frederico II. João de Brienne deixou o Egito, em parte para reclamar a coroa do Reino Armênio da Cilícia, após a morte do rei Leão I, mas também para supervisionar a defesa da Palestina contra os renovados ataques de al-Mu'azzam. Contudo, à medida que os meses passavam, João começou a encarar uma crítica generalizada devido à sua ausência da cruzada.

De volta a Damieta, Pelágio assumiu o controle dos exércitos francos remanescentes e fez o que pôde para manter a ordem. Foi por essa época que o cardeal fez traduzir um misterioso livro em árabe – supostamente mostrado aos cruzados pelos cristãos sírios –, que foi lido em voz alta para os soldados. O texto era uma suposta coleção de profecias escrita no século IX, relatando a revelação de São Pedro, o Apóstolo. O livro parecia "prever" os eventos da Terceira Cruzada, bem como a queda de Damieta. Também nele se afirmava que a Quinta Cruzada chegaria à vitória sob a liderança de "um grande rei do Ocidente". O episódio todo parecia totalmente fantástico, mas Olivier de Paderborn e Jaime de Vitry levaram as "previsões" desse livro muito a sério. Pelágio, com certeza, usou-as para justificar sua continuada negativa de negociação com os aiúbidas e sua paciência determinada na espera da chegada de Frederico II.[19]

Finalmente, em 22 de novembro, o papa Honório III cedeu às exigências de Frederico e o ungiu como imperador da Alemanha que, em troca, renovou seu voto de cruzado. A chegada da primavera de 1221, portanto, pareceu anunciar uma nova aurora para a Quinta Cruzada. Nesse mês de maio, a primeira onda de cruzados dos Hohenstaufen chegou sob o comando de Luís da Baviera e, estimulado por esses reforços, Pelágio finalmente tomou a decisão de avançar para o sul e atacar o acampamento, agora reforçado, de al-Kamil em Mansura. Infelizmente para os francos, o prosseguimento da campanha foi escandalosamente inepto. Mesmo depois de a decisão ter sido tomada, os cristãos foram lentos em sua ação, e o avanço só começou em 6 de julho de 1221. No dia seguinte, João de Brienne voltou ao Egito e juntou-se às forças de Pelágio e Luís. Uma parte do exército cruzado foi deixada para a defesa de Damieta, mas os latinos ainda reuniram cerca de 1.200 cavaleiros, mais ou menos quatro mil arqueiros e muitos soldados de infantaria. Sua marcha para o sul pela margem oriental do Nilo também foi acompanhada por uma considerável frota cristã.

O problema era que Pelágio tinha pouco conhecimento do terreno em torno de Mansura e parece ter sido inteiramente ignorante da hidrologia do Delta do Nilo. Em contraste, al-Kamil havia escolhido a localização de seu novo acampamento com grande cuidado e previsão. Posicionado bem ao sul de uma junção do Nilo com um afluente secundário – o rio Tânis – que corria para o Lago Mansallah, a base aiúbida era praticamente inacessível. Além disso, qualquer exército que a atacasse ficaria encalacrado entre dois cursos d'água. A cheia anual do Nilo de agosto também se aproximava com rapidez. Isto significava que, se os cruzados demorassem, seu ataque poderia ser detido não pelas espadas muçulmanas, mas pelas incontroláveis águas do grande rio.

Talvez tenha sido em vista dessa demora que al-Kamil então renovou sua oferta de trégua nos mesmos termos propostos em 1219. O adiamento das hostilidades também servia aos seus interesses, pois ele esperava ansiosamente a chegada de reforços sob os comandos de al-Ashraf e al--Mu'azzam. Mas, apesar de um certo debate – e advertência por parte dos templários e hospitalários sobre a crescente concentração de forças aiúbidas no Egito –, Pelágio novamente declinou de negociar, e os cruzados fizeram pressão. É impossível julgar se al-Kamil honraria algum acordo estabelecido nesse estágio tardio.

Em 24 de julho os francos chegaram ao povoado de Sharamsah, a apenas alguns dias de Mansura. Ali repeliram um ataque muçulmano e o moral cristão parece ter se animado. Mas, devido à iminente cheia do Nilo, João de Brienne aconselhou uma retirada imediata para Damieta. Seu conselho foi rebatido por Pelágio, que agora parecia estar convencido de que os latinos podiam chegar à vitória. Na verdade, eles estavam marchando para uma armadilha muito bem preparada. Prosseguindo para o sul, os francos ignoraram um pequeno afluente que desembocava no Nilo vindo do oeste. Este foi um grave erro. O "afluente" aparentemente inócuo era, na verdade, o canal Mahalla, um curso de água que desembocava no Nilo ao sul de Mansura. Depois que o exército cruzado passou com sua armada, al-Kamil enviou um grupo de seus navios para subir o canal, entrar no Nilo e bloquear toda tentativa de saída, chegando a afundar quatro navios para garantir que o rio ficasse intransitável. Em 10 de agosto, os cristãos haviam se posicionado diante de Mansura, na bifurcação entre o Nilo e o Tânis. Nessa mesma época, contudo, al-Ahraf e al-Mu'azzam chegaram ao Egito e movimentaram suas tropas para nordeste, assim bloqueando uma possível retirada por terra. Logo depois, a cheia do Nilo começou.

A posição dos cruzados tornou-se rapidamente insustentável. Com a subida das águas, ficou impossível controlar a frota, e navios sobrecarregados começaram a afundar. Pensou-se em montar um acampamento fortificado e esperar reforços, mas na noite de 26 de agosto o total desespero da situação levou a uma súbita e caótica retirada, com apenas os soldados templários na retaguarda mantendo a disciplina. Neste ponto, al-Kamil ordenou que as comportas usadas para controlar a cheia do Nilo fossem abertas, inundando os campos e isolando ainda mais seu exército – o terreno ficou tão lamacento e encharcado que os francos afundavam até a cintura. Depois de um dia agoniante tentando prosseguir para o norte, Pelágio aceitou a irremediável realidade da posição cristã e concordou com os termos de uma rendição em 28 de agosto de 1221.

Tendo duas vezes recebido a oferta da Cidade Santa de Jerusalém, o cardeal e seus cruzados agora tiveram que aceitar a humilhação de uma derrota abjeta. Al-Kamil tratou os francos com notório respeito – disposto a levar o triste incidente a uma rápida conclusão, de modo que pudesse finalmente consolidar seu controle do Egito – mas, não obstante, exigiu o imediato retorno a Damieta e a libertação de todos os prisioneiros muçulmanos. A única concessão foi que a trégua de oito anos entre a cristandade latina e os aiúbidas não seria estendida ao recém-ungido imperador Frederico II. Em 8 de setembro, al-Kamil entrou em Damieta, reclamando o domínio do Nilo, e nas semanas que se seguiram, os francos saíram do Egito de mãos vazias.

A CRUZADA DE FREDERICO II

O esmagador revés sofrido pelos homens da Quinta Cruzada acendeu a crítica por toda a cristandade no início da década de 1220. O cardeal Pelágio foi acusado de liderança inatuante e equivocada – para alguns, seus fracassos no Egito demonstravam a subjacente loucura da visão idealizada de Inocêncio III de uma cruzada conduzida pela Igreja. João de Brienne também foi censurado por negligenciar seu papel como comandante e por permitir que a cruzada permanecesse imóvel em Damieta durante 1220 e para além desse ano. Mas talvez os ataques mais violentos tenham sido dirigidos contra Frederico II, o grande imperador que nunca chegou ao norte da África, apesar de todas as suas promessas. Em 1221 ele mais uma vez postergou sua partida – para se ocupar de uma explosão de agitação política na Sicília – e no final do verão, com o desastre no Nilo e o fim da cruzada, a hora de agir havia passado.[20]

Frederico tinha demonstrado que sua absoluta prioridade era a defesa, consolidação e expansão do Império Hohenstaufen. Estas não eram preocupações incomuns para um monarca medieval. Os mesmos fardos do governo da coroa haviam tido impacto sobre as carreiras de cruzados de Henrique II, Ricardo I da Inglaterra e Filipe Augusto da França. Na verdade, de uma certa perspectiva, a dedicação e a ambição determinadas de Frederico eram louváveis. Mas, ao despertar da Quinta Cruzada, o novo imperador foi ficando sujeito a uma crescente pressão para honrar seus votos e entrar na guerra pela Terra Santa. Essa compulsão derivava, em parte, do opróbrio popular, mas era comandada de modo mais enfático pelo papado. Honório III estava desesperadamente preocupado com a renovação da campanha pela recuperação de Jerusalém e aliviar sua própria culpa pelo resultado decepcionante da expedição de Damieta. Ele também reconhecia que Frederico representava uma clara ameaça à soberania romana, cercando efetivamente os Estados Papais. A cruzada podia ser um meio útil e eficaz de controlar esse inimigo potencial.

Stupor mundi

Frederico II foi uma das figuras mais controversas da história medieval. No século XIII era louvado por seus seguidores como *stupor mundi* (a maravilha do mundo), mas condenado por seus inimigos como a "besta do apocalipse"; os historiadores de hoje continuam a debater se ele era um déspota tirânico ou um gênio visionário, esse que é considerado o primeiro praticante do conceito renascentista de realeza. Barrigudo, careca e com visão deficiente (fisicamente falando), Frederico era desinteressante. Mas, na década de 1220, era o mais poderoso governante do mundo cristão, ostentando os títulos de imperador da Alemanha e rei da Sicília.

Algumas vezes já se sugeriu que Frederico tinha uma atitude distintamente antimedieval e esclarecida para com a governança, a religião e a vida intelectual, e que trouxe esta perspectiva revolucionária para a atividade cruzada, transformando a guerra santa e o destino do Ultramar com um aceno de sua poderosa mão. Na realidade, ele não era assim tão radical, como monarca ou como cruzado. Por ter crescido na Sicília – com sua própria população local árabe e a rede de contatos há muito estabelecida com os muçulmanos –, estava familiarizado com o Islã, conhecia um pouco da língua árabe, mantinha os serviços de um grupo leal de guarda-costas muçulmanos e até possuía um harém. Também tinha uma mente inquisitiva, um ávido interesse pela ciência e uma paixão absoluta pela falcoaria. Contudo, ele não era o único monarca a manter uma corte real aculturada. Os reis cristãos ibéricos de Castela talvez estivessem muito mais abertos à influência muçulmana nesse período. E Frederico nem sempre se mostrava tolerante em sua atitude com relação à fé e ao dogma cristão, tendo suprimido violentamente uma rebelião árabe-siciliana entre 1222 e 1224, além de se opor aos heréticos em seus domínios.

Comentadores contemporâneos e modernos também alegaram que esse imperador Hohenstaufen mostrava-se notoriamente desinteressado pela guerra santa. Contudo, a despeito de não ter lutado na Quinta Cruzada, Frederico, com o tempo, comprovaria ser guiado por um autêntico compromisso com a causa. Contudo, sua atitude com relação à luta pelo domínio da Terra Santa estava condicionada a uma crença firmemente estabelecida de que ele se destinava a expandir sua autoridade imperial por toda a cristandade. Ao comandar uma cruzada, Frederico buscou cumprir o que considerava sua obrigação natural como imperador cristão e exercer seu direito igualmente inato de recuperar e comandar a sacratíssima cidade de Jerusalém.[21]

Cruzado imperial, rei de Jerusalém

Em meados da década de 1220, o papa Honório III buscou repetidamente ligar Frederico a uma nova empreitada cruzada. Inicialmente, a campanha deveria se iniciar em 1225, mas em março de 1224 o imperador requisitou um novo adiamento devido à dificuldade momentânea de manter a ordem na Sicília. Com a paciência do papa agora esgotada, um novo acordo foi formalizado em San Germano (no noroeste da Itália) em junho de 1225. O tratado continha um certo número de provisões estritas: Frederico deveria recrutar um exército de mil cavaleiros e custear o deslocamento para a Terra Santa durante dois anos; além disso, deveria providenciar 150 navios para transportar os cruzados para o Oriente e fornecer ao mestre da Ordem Teutônica, Hermann von Salza (um íntimo aliado dos Hohenstaufen), 100 mil onças de ouro. E o que era mais importante, o imperador prometeu, sob pena de excomunhão, partir para a cruzada em 15 de agosto de 1227. Frederico aceitou esses termos parcialmente, devido à sua própria vontade e determinação de iniciar uma campanha oriental, mas também de obter apoio no reino Hohenstaufen a um imposto para a cruzada – uma taxa que se tornaria impopular devido ao fato de muitos temerem, baseados em experiências passadas, que tal arrecadação terminaria no tesouro imperial. Ao concordar com o Tratado de San Germano, Frederico estava assinalando categoricamente que, desta vez, redimiria seus votos. A atitude rendeu a ele o apoio de seus súditos, mas também o deixou ligado a um cronograma perigosamente preciso.

Nessa época, o imperador havia começado a estabelecer bases diplomáticas para sua expedição ao Oriente Próximo. Isso o colocou em contato com dois governantes levantinos – João de Brienne e al-Kamil –, que, evidentemente acreditavam poder manipular Frederico cada um para seu próprio proveito. Eles não contavam com as astutas habilidades do imperador como político e negociador que conseguia fundir pragmatismo com força resoluta. No início da década de 1220, João de Brienne ainda reclamava o título de "rei de Jerusalém" devido ao papel como regente de sua filha Isabel II, ainda mais diante de uma crescente batalha por garantir sua legitimidade contra os nobres francos de pensamento independente do Ultramar, que estavam cada vez mais adeptos do uso de leis e costumes do reino para limitar a autoridade real. Em 1223, portanto, João concordou com uma aliança matrimonial entre Isabel e o imperador Frederico, imaginando que o apoio do Hohenstaufen finalmente consolidaria sua posição como rei. A união foi devidamente formalizada em novembro de 1225 numa cerimônia em Brindisi (sul da Itália), assistida por João e os principais membros da aristocracia de Jerusalém. Para a surpresa e desagrado de João, assim que o casamento terminou, Frederico confirmou seu direito de governar sobre a Palestina franca e intimidou os nobres latinos reunidos para que se submetessem à sua autoridade. Tal manobra deixou o então sogro do imperador desapontado e privado de direitos, mas também reescreveu as regras da liderança cruzada – preparando o palco para que a expedição que se aproximava fosse dirigida por um indivíduo que combinava, de maneira única, as funções de cruzado, Hohenstaufen e rei de Jerusalém.

Frederico também estabeleceu um diálogo com al-Kamil, o sultão aiúbida do Egito por volta de 1226, embora não fique claro que lado deu início à comunicação. O muçulmano parece ter estado ciente da planejada expedição do imperador e, para dispersar qualquer ameaça à região do Nilo, propôs um pacto incomum. Como seu pai al-Adil antes dele, o novo sultão estava muito mais interessado em chegar a uma acomodação diplomática com os francos – assim salvaguardando seus interesses comerciais comuns – do que lançar uma *jihad* sangrenta e desordenada. A posição de al-Damil como senhor da confederação aiúbida também estava sob ameaça nessa época. Na esteira da Quinta Cruzada, as relações com seu irmão al-Mu'azzam, emir de Damasco, haviam estremecido, e al-Mu'azzam dera um passo drástico ao se aliar com os corásmios – um bando de ferozes turcos mercenários, expulsos da Ásia central pelo advento dos mongóis e agora operando a partir do norte do Iraque. Para equilibrar este perigo, al-Kamil convidou Frederico a trazer seus exércitos para a Palestina e, em troca da promessa de ajuda contra al-Mu'azzam, ofereceu a devolução de Jerusalém aos latinos. Para acertar os detalhes deste acordo inédito, o sultão despachou um de seus mais confiáveis lugares-tenentes, Fakhr al-Din, como enviado à corte Hohenstaufen. Lá, ele e Frederico estudaram juntos os termos amigáveis, e o imperador chegou a nomear Fakhr al-Din cavaleiro, como sinal de sua amizade.[22]

Em 1227, Frederico II estava pronto para comandar sua cruzada: dotado de uma autoridade militar e política sem precedente, reforçada por um promissor pacto com os aiúbidas. Suas forças cruzadas alemãs e sicilianas reuniram-se no porto de Brindisi naquele agosto, em preparação para a partida para a Terra Santa, mas então ocorreu um desastre. Em meio ao calor do verão, uma doença virulenta (talvez cólera) começou a se espalhar pelo exército. Enfrentando uma ameaça de excomunhão, o imperador sabia que não podia se dar ao luxo de uma demora e, assim, o embarque começou como planejado. Frederico zarpou no dia 8 de setembro, em companhia do importante nobre alemão Luís IV da Turíngia, mas em alguns dias eles também caíram doentes. Temendo por sua saúde, o imperador retornou, desembarcando em Otranto (ao sul de Brindisi). Não há dúvida de que o pânico era verdadeiro, e o adiamento necessário – Luís morreu da doença ainda no mar. Frederico declarou que reiniciaria sua viagem em maio de 1228 depois de convalescer no sul da Itália e mandou o mestre teutônico Von Salza para o Oriente Próximo para supervisionar o exército cruzado. Consciente de como esses eventos poderiam ser interpretados em Roma, o imperador também despachou um mensageiro para o papa.[23]

Honório III havia morrido em março daquele ano, e seu sucessor, o papa Gregório IX, era um reformador de linha dura e defensor das prerrogativas papais, com pouca ou nenhuma simpatia pela causa Hohenstaufen. Já suspeitando dos motivos de Frederico, Gregório recebeu as notícias com uma ação drástica em vez de compreensão. Aproveitando a oportunidade de frear o que considerava como poder excessivo do império, anulou imediatamente os termos do tratado de San Germano e excomungou Frederico em 29 de setembro. Este foi um severo ato de censura, particularmente se levarmos em conta o suposto status do imperador como monarca divinamente ungido; em teoria, pelo menos, ele seccionou Frederico do corpo da comunidade cristã, levando-o a ser desprezado pelos fiéis. O papa provavelmente esperava que Frederico buscasse uma reconciliação e uma absolvição – submeter-se a Roma e fazer o que seria uma tácita aceitação da supremacia papal.

Na verdade, Frederico não fez nada disso. Recusando-se a reconhecer sua excomunhão, enviou para a Palestina Ricardo Filangeri, um de seus principais oficiais militares, com quinhentos cavaleiros em abril de 1228. Em 28 de junho, o imperador o seguiu, zarpando de Brindisi com uma frota de cerca de setenta navios. Ele estava assumindo um risco enorme, deixando a Sicília, em particular, exposta à predação de um papa ambicioso e inescrupuloso –, mas Frederico agora parecia estar determinado a finalmente cumprir seu voto de cruzado. Ele chegaria à Terra Santa como o líder mais poderoso a portar o sinal da cruz, mas também como um desterrado, cortado do seio da Igreja.

Frederico II no Oriente Próximo

Nos meses precedentes, os fatos haviam conspirado para diminuir ainda mais as chances de sucesso do imperador no Levante. Duas mortes reformularam suas perspectivas. No final de 1227, al-Mu'azzam morreu de uma crise de disenteria, anulando efetivamente a projetada aliança do imperador com al-Kamil. Então, em maio de 1228, a jovem esposa de Frederico, a rainha Isabel II de Jerusalém, também faleceu, logo após dar à luz um menino. Este garoto, Conrado, tornou-se o herdeiro do Império Hohenstaufen e – pela linhagem de sangue da mãe – do Reino de Jerusalém. Em termos legais, este fato enfraqueceu a autoridade de Frederico na Palestina. Ele não mais agiria como marido de uma rainha viva, mas como regente de seu novo herdeiro.

Tais reveses significativos mal provocaram uma interrupção no ritmo do imperador. Ele chegou a Chipre em 21 de julho de 1228 e tratou de reafirmar o domínio Hohenstaufen sobre a ilha – um direito estabelecido por seu pai no final do século XII. Frederico tirou João de Ibelin (que vinha agindo como regente do jovem rei Henrique II) do poder, acusando-o de corrupção financeira, e assegurou os direitos imperiais às rendas reais de Chipre antes de zarpar para Tiro e, em seguida, até Acre, ao sul, no início de setembro.

Uma vez em terra firme, a condição de excomungado de Frederico só lhe causou um grau limitado de dificuldade. O patriarca latino Gerold revelou-se claramente relutante, e os templários e hospitalários também demoraram a apoiar a campanha do imperador, mas isto provavelmente fosse resultado do ressentimento declarado pelo favoritismo do Hohenstaufen com relação à Ordem Teutônica. Mais comprometedora foi a diminuição dos recursos militares sofrida naquele outono. Tendo passado o verão ajudando os cavaleiros teutônicos na construção de seu novo castelo de Montfort nas colinas a leste de Acre, uma boa parte do exército cruzado havia embarcado de volta para a Europa. Sem poder recorrer a uma enorme força militar, Frederico preferiu voltar-se para a negociação, reabrindo os canais de comunicação com al-Kamil e o diálogo direto com seu representante Fakhr al-Din.

Devido à morte de al-Mu'azzam e o resultante desequilíbrio de poder no mundo aiúbida, al-Kamil mostrou-se relutante em honrar suas promessas ao imperador, assim se arriscando a provocar crítica do Islã por ter feito concessões desnecessárias aos francos. Ao mesmo tempo, contudo, a grande prioridade do sultão era garantir o controle total de Damasco e não se envolver numa guerra custosa com Frederico. Para afastar a incipiente ameaça de conflito, o imperador fez suas forças remanescentes marcharem do sul de Acre até Jafa no início de 1229 – repetindo a manobra de Ricardo Coração de Leão em 1191. A pressão continuou a se revelar, e enquanto as conversas prosseguiam, Frederico empregou todos os artifícios e argumentos para garantir um acordo favorável e a devolução da Cidade Santa. A certa altura se dispôs até a discutir questões culturais, envolvendo ciência e filosofia, mas depois mudou o tom para uma ameaça de guerra; argumentou que, para os muçulmanos, Jerusalém na verdade era apenas uma ruína desolada, mas que sua santidade para os cristãos era descomunal. Vencido por esses argumentos, e com os olhos na Síria e não na Palestina, al-Kamil acabou por ceder.

No dia 18 de fevereiro de 1229, Frederico acertou os termos com o sultão aiúbida. Em troca de uma trégua de dez anos e a proteção militar de Frederico contra todos os inimigos, mesmo os cristãos, al-Kamil entregou Jerusalém, Belém e Nazaré, juntamente com um corredor terrestre ligando a Cidade Santa com a costa. Os muçulmanos deveriam conservar o acesso ao *al-Haram al-Sharif*, com seu próprio *gadi* para supervisionar esta área sagrada, mas, por outro lado, teriam que abandonar a cidade. Pela primeira vez em quarenta anos, o Santo Sepulcro voltaria para as mãos dos cristãos – um imperador excomungado tinha alcançado o que nenhum cruzado havia conseguido desde 1187, e tudo sem derramar uma única gota de sangue.

À primeira vista, esse feito impressionante poderia parecer uma extraordinária ruptura com a tradição – um ato que derrubava os princípios estabelecidos da campanha cruzada: a adesão à paz; a rejeição da espada. Foi certamente assim que a recuperação de Jerusalém por Frederico foi apresentada por alguns historiadores modernos – como prova de que o imperador era dotado de uma visão e de uma sensibilidade muito à frente de seu tempo. Essa visão provém da simplificação e da distorção. Embora seja verdade que Frederico foi o primeiro líder cruzado a assegurar ganhos tão valiosos por meio da diplomacia, a negociação tinha desempenhado um papel proeminente nas campanhas anteriores. Na verdade, os métodos e objetivos do Hohenstaufen podem bem ser comparados com os empregados por Ricardo Coração de Leão durante a Terceira Cruzada. Também vale observar que, como o rei inglês, Frederico precisava mesclar suas conversas de trégua com a intimidação militar. Ele parece ter se voltado para a diplomacia não por um desejo sincero de evitar o derramamento de sangue, mas porque era o meio então disponível para atingir seu objetivo.

Uma vez fechado o acordo em 1229, os eventos se precipitaram. Um cronista muçulmano escreveu que "depois da trégua, o sultão emitiu uma proclamação para que os muçulmanos deixassem Jerusalém e a entregassem aos francos. Os muçulmanos partiram entre gritos, gemidos e lamentos". Frederico entrou em Jerusalém em 17 de março de 1229, visitando o Domo da Rocha e a mesquita de Al-Aqsa na companhia de um guia muçulmano. Na Igreja do Santo Sepulcro ele orgulhosamente pousou a coroa imperial em sua cabeça com as próprias mãos, numa afirmação cerimonial de sua majestade insuperável. Para divulgar e glorificar este feito, naquele mesmo dia o imperador escreveu uma carta ao rei Henrique III da Inglaterra. Nessa missiva, Frederico comparava-se ao rei Davi do Velho Testamento e declarava que "(Deus) elevou-nos acima dos príncipes do mundo". Depois dessa rápida visita, o imperador voltou a Acre.[24]

Se Frederico achava que seu sucesso seria saudado com júbilo, estava enganado. Em sua carta, o patriarca Gerold condenou a conduta do imperador como "deplorável", afirmando que suas ações tinham sido "em grande detrimento da causa de Jesus Cristo". Em parte, sua cólera foi incitada porque o acordo unilateral de Frederico com os aiúbidas havia sido formulado "depois de longas e misteriosas conferências, e sem ter consultado nenhum (franco nativo)". Com os templários e os hospitalários, Gerold também se queixou do fracasso em garantir o controle de um número suficiente de castelos para defender a Terra Santa (muitos dos quais anteriormente tinham pertencido às Ordens Militares) e observava que o imperador tampouco tinha feito alguma coisa para a refortificação de Jerusalém. Por trás de todos esses ataques, contudo, havia o crescente temor de que Frederico agora estivesse em posição de asseverar sua autoridade sobre o reino latino.

O imperador pode ter pensado em impor sua vontade, mas perturbadoras notícias do Ocidente começaram a chegar a seus ouvidos. Em sua ausência, o papa Gregório IX havia empreendido uma invasão empolada ao sul da Itália, objetivando a captura da Sicília e assim pôr término ao cerco Hohenstaufen de Roma. Mesmo à luz da excomunhão de Frederico, este foi um ardil cínico buscando o proveito próprio – e que mais tarde provocou uma censura generalizada na Europa. Para piorar as coisas, o papa procurou incentivar o recrutamento para tal campanha oferecendo aos participantes recompensas espirituais que pareciam fazer eco àquelas prometidas aos cruzados. Entre os que encabeçaram a causa de Gregório estavam dois rivais da Quinta Cruzada: o cardeal Pelágio e João de Brienne, agora reconciliados.

Com a ameaça a seu império ocidental aumentando, Frederico rapidamente chegou a um acordo com a nobreza latina do Reino de Jerusalém. Em vez de escolher um dos seus, concordou em eleger dois nobres nativos para governar a Palestina em sua ausência. Isso não passava de um expediente temporário, mas que permitiu ao imperador partir apressadamente para a Itália. Mesmo assim, o ressentimento contra as táticas arrogantes de Frederico estava aumentando entre um grande número de francos levantinos. Consciente da atmosfera inflamada, o imperador tentou se afastar de Acre em 1º de maio de 1229 com um mínimo de cerimônia e pegar um navio ao amanhecer. Mas segundo um cronista latino, o então rei sofreu uma afronta final quando um grupo de "carniceiros e velhacos das ruas" o avistou a caminho das docas, e essa multidão enraivecida "correu atrás dele atirando-lhe tripas e pedaços de carne". O imperador Hohenstaufen tinha recuperado a Cidade Santa para a cristandade, mas parece ter deixado o Oriente Próximo como homem "odiado, amaldiçoado e vilipendiado".[25]

UM NOVO HORIZONTE

Frederico II voltou para o sul da Itália a tempo de expulsar as forças que lutavam em nome do papa Gregório IX. Apesar de uma atmosfera de ódio e má vontade, os dois lados reconheceram que, pelo menos momentaneamente, a reconciliação atendia aos seus interesses. Em 1230 a excomunhão do imperador foi anulada, Gregório aceitou a legalidade do tratado firmado com al-Kamil no Oriente e uma tensa reaproximação ocorreu. Nesse ínterim, na Palestina, os francos gradativamente começavam a voltar para Jerusalém. Apesar de todas suas antigas queixas, o patriarca Gerold, os templários e os hospitalários voltaram a se estabelecer na cidade, e teve início um lento trabalho de reconstrução de suas fortificações. Com os aiúbidas ainda presos a uma luta mortífera pela supremacia, os termos da trégua de 1229 prevaleceram e os latinos deixaram de ser ameaçados.

Logo, contudo, os cristãos se envolveram em suas próprias intrigas. Em sua pressa por voltar para o Ocidente em 1229, Frederico tinha sido forçado a comprometer sua ideia de uma hegemonia dos Hohenstaufen na Terra Santa. Mas com a campanha na Itália, enviou Ricardo Filangeri para reclamar direitos imperiais sobre Chipre e a Palestina em 1231. Autocrata obstinado, Filangeri acabou por se mostrar profundamente impopular entre boa parte da nobreza franca nativa e entrou em conflito aberto com João de Ibelin, que então se tornou a figura de frente da resistência anti-Hohenstaufen. Durante o restante da década e até depois dela, a luta para resistir à autoridade imperial fervilhou – levando a população local de Acre ao extremo de declarar sua cidade uma comuna independente, separada do Reino de Jerusalém. Ocupados com essa infeliz pendenga, os latinos fizeram poucos esforços para consolidar seus recentes ganhos territoriais ou explorar a fraqueza dos aiúbidas.

Para completar a situação, a mal contida animosidade entre Frederico II e Gregório IX tornou a aflorar em 1239. O imperador foi novamente excomungado e, desta vez, o papa invocou uma luta total contra seu oponente – agora difamado como inimigo do cristianismo e aliado do Islã. Outra cruzada contra o imperador foi anunciada em 1244 e isto levou a um declarado estado de guerra que ribombou até a morte de Frederico II em dezembro de 1250. Resoluto em seu desejo de preservar e aumentar a força da Igreja, o papado tinha finalmente abraçado a ideia de brandir a arma da guerra santa contra seus inimigos políticos. Chamados às armas similares se seguiriam durante décadas, e até séculos. Estes acontecimentos provocaram um certo clamor e, ocasionalmente, até uma condenação feroz, mas, não obstante, muitos recrutas aceitaram a cruz voluntariamente – contentes por lutar em solo latino contra cristãos iguais em troca de uma indulgência. De todas as críticas dirigidas ao papado pelos contemporâneos devido a esta diluição do "ideal cruzado", a mais eloquente foi a frequente queixa de que o verdadeiro campo de batalha da guerra santa ficava no Oriente. Com certeza é verdade que, com o passar do tempo, o redirecionamento dos exércitos cruzados por parte de Roma – na Europa Ocidental e em outros palcos de conflito na Península Ibérica, no Báltico e na hesitante Constantinopla latina – serviram para isolar e enfraquecer ainda mais o Ultramar franco.

A Cruzada dos Nobres

Tais desenvolvimentos não levaram repentinamente o papado a abandonar o Oriente latino. Em vez disso, o Levante tornou-se uma frente entre muitas, e em diversas ocasiões coube aos líderes seculares priorizar os interesses dos Estados cruzados sobreviventes. Este foi o caso, entre 1239 e 1241, quando duas expedições de relativa pequena escala (por vezes chamadas de Cruzada dos Nobres) foram comandadas por Teobaldo IV de Champagne – membro de uma das mais importantes dinastias cruzadas do Ocidente – e por Ricardo da Cornualha, irmão do rei Henrique III da Inglaterra. Suas empreitadas gozaram de um marcante grau de sucesso, em parte porque adotaram a técnica de Frederico II da diplomacia forçada, mas basicamente foram resultado da nova espiral de insegurança aiúbida causada pela morte de al-Kamil em 1238. Com vários membros da família do falecido sultão brigando pelo controle do Egito e da Síria, Teobaldo e Ricardo puderam jogar os aiúbidas rivais uns contra os outros, recuperando a Galileia e refortificando o posto avançado de Ascalão, na costa sul.

Na esteira desses sucessos, a nobreza franca do Reino de Jerusalém finalmente se livrou do jugo do domínio Hohenstaufen, recusando-se a reconhecer a autoridade de Conrado, o filho e herdeiro de Frederico, por volta de 1243. Ligado aos eventos na Europa, a melhor resposta que o imperador podia dar foi instalar um novo representante em Trípoli. Deste ponto em diante, a coroa de Jerusalém passou para linhagens reais do Chipre latino, mas em termos exatos o poder continuou com a aristocracia.[26]

Em 1244, a sorte da Palestina franca parecia rejuvenescida. Grandes porções do território haviam sido recuperadas, e Jerusalém, embora ainda parcialmente habitada, estava em mãos cristãs. Parecia que o reino retornaria à posição de relativo poder e segurança de antes dos desastres de 1187. Mas, na verdade, esses sinais de vitalidade foram ilusórios e efêmeros: os latinos estavam em uma situação desesperadamente vulnerável. Tendo se alienado do império Hohenstaufen, o potencial militar levantino dependia quase inteiramente das Ordens Militares e da ajuda direta do Ocidente, sob a forma de cruzadas – uma corrente de apoio que poderia muito bem diminuir. Acima de tudo, os recentes sucessos dos francos foram consequência direta da fraqueza dos aiúbidas. Se a dinastia muçulmana se recuperasse ou, talvez pior, fosse substituída por outra força, as consequências para o Ultramar poderiam ser catastróficas.

A ruína da Palestina

Em meio ao tumulto do início da década de 1240, um aiúbida se destacou: al-Salih Ayyub, o filho mais velho de al-Kamil. Em 1244, al-Salih tinha garantido sua posição no Egito, mas, ao fazê-lo, perdeu Damasco para seu tio Ismail. Visando a reafirmar sua autoridade sobre a Síria, al-Salih – como outros governantes aiúbidas antes dele – procurou se aproveitar da brutalidade dos quarismianos, que agora estavam sob o comando de seu chefe, Berke Khan. Em resposta aos chamados de al-Salih, Berke comandou sua horda mercenária de cerca de dez mil homens devastadores pela Palestina no início do verão de 1244. Aparentemente agindo por vontade própria, os quarismianos fizeram um ataque inesperado a Jerusalém. À sua aproximação, milhares de cristãos fugiram da cidade, na esperança de alcançar segurança na costa, deixando para trás uma pequena guarnição de defensores. Os refugiados sofreram terrivelmente, à medida que avançavam para o leste. Sofreram ataques de bandidos muçulmanos nas colinas da Judeia e muitos foram mortos por escoltas quarismianas nas planícies perto de Ramla, só quase trezentos deles chegaram a Jafa.

Na Cidade Santa, a situação era ainda pior. Os francos remanescentes chegaram a opor certa resistência, mas foram irremediavelmente suplantados em número. Em 11 de julho de 1244, os homens de Berke Khan invadiram Jerusalém e deram início a um caos. Segundo um cronista latino, os quarismianos "encontraram cristãos que haviam se recusado a partir com os outros na Igreja do Santo Sepulcro. Foram todos estripados diante do Sepulcro de Nosso Senhor; cortaram as cabeças dos padres que estavam paramentados e celebravam missas nos altares". Tendo posto abaixo a estrutura de mármore que fechava o Sepulcro, vandalizaram e saquearam as tumbas dos grandes reis francos da Palestina – como Godofredo de Bulhão e Balduíno I. Dizem que "cometeram muitos atos mais vergonhosos, sujos e destrutivos contra Jesus Cristo, os Lugares Santos e a cristandade que todos os infiéis daquela terra já haviam feito na paz ou na guerra". Com a obra de destruição e profanação terminada, Berke Khan conduziu suas forças para um encontro perto de Gaza (no sul da Palestina) com um exército de cerca de cinco mil guerreiros do Egito.[27]

O choque dessas atrocidades incentivou os francos à ação. Garantindo uma aliança com Ismail de Damasco e outro muçulmano dissidente, o emir de Homs, eles marcharam para o sul para enfrentar a coalizão egípcio-quarismiana. Arrecadando recursos entre a nobreza franca e as Ordens Militares, os cristãos conseguiram reunir dois mil guerreiros e talvez outros dez mil soldados de infantaria. Esse exército – o maior já reunido no Oriente desde a Terceira Cruzada – representava a força humana de guerra total do reino latino. Contudo, mesmo tendo se juntado a seus aliados muçulmanos, ele mal excedia o do inimigo. Houve considerável debate sobre a melhor estratégia a ser empregada. O emir de Homs, que já havia lutado e derrotado os quarismianos certa vez, aconselhou paciente precaução e a construção de um acampamento bem defendido, sugerindo que os homens de Berk Khan logo se aborreceriam com qualquer demora e se dispersariam. Contudo, os latinos ansiosos e superconfiantes rejeitaram esse sábio conselho. Em 18 de outubro de 1244, lançaram um ataque e a batalha ocorreu nas planícies arenosas próximas da vila de La Forbie (nordeste de Gaza).

Para os francos e seus aliados, o caos que se seguiu foi um desastre sem tamanho. Faltando-lhes uma clara superioridade numérica, eles tiveram que confiar na ação estritamente coordenada e uma dose de sorte – mas não se beneficiaram de nenhuma das duas. A princípio, os latinos e os soldados de Homs pareciam ter lutado bem, defendendo seu terreno. Mas diante de um inexorável ataque quarismiano, as tropas damascenas perderam a coragem e fugiram. Com sua formação de batalha partida, os aliados franco-sírios rapidamente se renderam, e, embora tenham lutado bravamente, mesmo com as baixas aumentando, o dia terminou em derrota. As perdas ocorridas em La Forbie eram surpreendentes: dos dois mil soldados de Homs, 1.720 foram mortos ou capturados; somente 36 cavaleiros templários escaparam, de um total de 348; a Ordem Teutônica perdeu todos, com exceção de três cavaleiros, de uma força de 440 homens. O mestre dos templários foi capturado; seu colega hospitalário foi assassinado. Esta foi uma calamidade equiparável àquela sofrida em Hattin em 1187 – um golpe esmagador que desmantelou a formação militar remanescente do Ultramar. Nos meses que se seguiram, meio século de gradual recuperação territorial seria apagado.

Num estado de terror, os poucos sobreviventes francos reagruparam-se em Acre naquele outono, "chorando, gritando e soluçando enquanto caminhavam, de modo que dava tristeza ouvi-los". Encaminhando advertências a Chipre e Antioquia, eles enviaram o bispo Galeran de Beirute "para entregar solenes mensagens ao papa e aos cavaleiros da França e da Inglaterra (e para enfatizar) que, se rápidas decisões não fossem tomadas com relação à Terra Santa, ela em breve estaria completamente perdida".[28] Os graves reveses de 1244 que produziram esse sincero apelo espelhavam os que, cinco décadas antes, haviam provocado o entusiasmo da Terceira Cruzada. Mas, nessa época, as bases da guerra santa cristã começaram a tomar outros rumos: costumes e práticas haviam mudado, o entusiasmo havia se desvanecido ou fora reconsiderado. Em meio a essa nova realidade do século XIII, uma questão óbvia deve ter atormentado as mentes dos francos levantinos: será que o Ocidente latino tornaria a montar uma poderosa cruzada para salvar a Terra Santa?

21. UM SANTO NA GUERRA

O bispo Galeran de Beirute chegou ao Ocidente em 1245, trazendo notícias de La Borbie e da destruição do exército franco. No final de junho, ele assistiu a um concílio da Igreja convocado pelo novo papa, Inocêncio IV, em Lyon (sudeste da França), uma vez que a corte papal fugira da Itália devido ao conflito com o imperador Frederico II da Alemanha. Com a perigosa situação do Ultramar, o papa e seus prelados acharam que outras questões eram mais prementes: ou seja, sua própria sobrevivência. A excomunhão de Frederico foi confirmada e, desta vez, ele foi oficialmente deposto de seu direito às coroas da Alemanha e da Sicília – uma jogada que provocou o romper de uma beligerância aberta entre o papado e o Império Hohenstaufen. Inocêncio IV também estava preocupado com o envio de recursos para o Império Latino de Constantinopla, que cada vez mais beirava o colapso. O papa concordou em proclamar uma nova cruzada ao Oriente Próximo, nomeando o cardeal-bispo franco Odo de Châteauroux como legado papal à campanha, mas era evidente que a causa levantina ainda era uma prioridade relativamente pequena.

As esperanças do bispo Galeran de garantir o apoio dos grandes monarcas da Europa latina também pareciam desanimadoras. O imperador Frederico obviamente não estava em posição de deixar o Ocidente. Henrique III da Inglaterra estava preocupado com a tarefa de dobrar os joelhos de seus poderosos nobres, e chegou a proibir Galeran de pregar a cruzada em solo inglês. Só um rei se destacaria nesse oceano de preocupação e indiferença, respondendo ao chamado do Ultramar, um soberano devotado à guerra pela Terra Santa: Luís IX da França, um homem que seria canonizado pela Igreja Romana como santo.

O REI LUÍS IX DA FRANÇA

Em 1244, Luís tinha cerca de trinta anos de idade. Era alto, de constituição fraca, pele pálida e cabelos loiros. Por ancestralidade, o sangue real estava instilado com o impulso pela cruzada, já que ele nascera numa linhagem ininterrupta – que remontava a Luís VII e Filipe II – de reis capetíngios que haviam lutado a guerra santa. Luís também herdara o reino da França, que tivera sua posição de debilidade transformada no início do século XII. O longevo Filipe II comprovara ser um burocrata talentoso, e seu reinado de 33 anos viu imensas melhoras na regulamentação governamental e na administração financeira. Da mesma forma, o sucesso havia sido alcançado na luta com a Inglaterra, culminando na conquista da Normandia e de vastas porções de território angevino no oeste da França.

Depois da morte de Filipe em 1223, contudo, seu filho Luís VIII sobreviveu apenas três anos. Assim, Luís IX só tinha doze anos quando chegou ao trono. Sua voluntariosa mãe, Branca de Castela, assumiu a regência, governando com segura competência; na verdade, mesmo adulto, aos trinta anos, o rei ainda tinha que emergir da sombra autoritária dela.

Luís parece ter sido um cristão devoto. Ele ganhou fama por assistir à missa diariamente e por seu grande interesse pelos sermões. Em 1238, comprou a Coroa de Espinhos, que se acreditava ter sido usada por Jesus na cruz, roubada da Constantinopla bizantina e então vendida pelo falido governante de Constantinopla. Na década seguinte, Luís construiu uma nova e magnífica capela no coração de Paris para abrigar a relíquia da Paixão de Cristo – a *Sainte-Chapelle* – uma notável obra-prima do tecnologicamente avançado estilo "gótico" de arquitetura que dominou a Europa Ocidental. Era também um generoso patrono das instituições religiosas espalhadas pela França. Em seus contatos com o papado, o soberano capetíngio exigia a devida deferência e respeito para com a Igreja Latina, mas não em detrimento de sua autoridade real ou suas crenças religiosas. Assim, ele permitiu que a excomunhão de Frederico II fosse anunciada na França, mas proibiu a pregação de uma cruzada contra o imperador em solo franco.

O início do reinado de Luís ensinou-lhe alguma coisa sobre a guerra, mas ele ainda tinha que revelar uma centelha de gênio militar ou de visão estratégica aparentada à que havia possuído Ricardo Coração de Leão. O capetíngio era capaz, contudo, de inspirar lealdade e fidelidade às suas tropas, principalmente pelo assíduo cuidado em lhes garantir bem-estar e moral elevado. Na verdade, a atitude de Luís com a atividade da monarquia e do comando militar foi profundamente influenciada pelas noções de honra, justiça e obrigação. Esses princípios estavam no cerne dos códigos de conduta cavalheiresca que tinham se solidificado no final do século XII e início do XIII, e que agora orientavam quase todos os aspectos da cultura da cavalaria cristã. Os ideais nascentes da cavalaria desempenharam um papel nas cruzadas desde o início e certamente formaram um pano de fundo para a Terceira Cruzada. Mas na década de 1240 tais ideais eram uma das grandes forças dominantes, moldando tanto a teoria como a prática na guerra santa.

Para Luís IX e os que o seguiam, a cruzada era um meio de pagar uma dívida do serviço devido a Deus e uma luta em que a reputação de um homem poderia ser preservada e desenvolvida. O renome acalantado devia ser obtido por valores feitos de armas, embora, é claro, o perigo da covardia ou do fracasso – e, portanto, a ameaça da vergonha deletéria – também pairava no ar. Os cruzados continuavam a ser atraídos pela recompensa espiritual de uma indulgência, mas, enquanto muitos ainda se viam como peregrinos, essa ideia de guerra santa como jornada devocional estava sendo cada vez mais contrabalançada, ou mesmo eclipsada, pela imagem da cruzada como empreitada cavaleiresca. Essa mudança teria notáveis consequências no campo de batalha, provocadas pela inerente tensão entre a busca da glória pessoal e o cumprimento de ordens.

Luís deve ter pensado em se juntar a uma cruzada na década de 1230, e deu apoio financeiro à Cruzada dos Nobres, mas no final de 1244 sua determinação de aceitar a cruz estava se consolidando. A essa altura, notícias da captura de Jerusalém pelos quarismianos provavelmente estavam circulando no Ocidente, mas o bispo Galeran ainda não havia relatado a esmagadora derrota de La Forbie. Nesse inverno, o rei franco caiu doente com uma forte febre e em dezembro estava acamado em Paris, "tão próximo da morte que um de (seus servos) quis puxar o lençol sobre seu rosto, afirmando que estava morto". Em meio à aflição dessa grave enfermidade, Luís declarou sua inquebrantável determinação de comandar uma cruzada, e dizem que teria constantemente "pedido que lhe dessem a cruz". A cruzada tornou-se o empreendimento pelo qual ele afirmou sua maturidade e emancipação e a causa à qual dedicaria sua vida.[29]

OS PREPARATIVOS PARA A GUERRA

Passaram-se quase quatro anos antes que Luís IX partisse em sua cruzada. Tal demora não foi resultado de deliberada prevaricação, mas sim consequência da meticulosa precisão com que o rei procurou se preparar para a guerra santa. A expedição deveria ser dominada pelos franceses. O conflito entre o Império Hohenstaufen e o papado excluiu o envolvimento dos alemães e dos italianos, embora Frederico II tivesse posto à disposição os portos e mercados da Sicília ao monarca capetíngio. Alguns destacados nobres ingleses também aceitaram a cruz, apesar dos temores de Henrique III – pois dentre eles estava Guilherme Espada Longa, meio-irmão do rei.

Na França, o ardente entusiasmo de Luís e os esforços do legado papal Odo de Châteauroux promoveram o generalizado alistamento. Todos os três irmãos do rei se apresentaram: Roberto de Artois, Afonso de Poitiers e Carlos de Anjou. Uma grande assembleia realizada em Paris em outubro de 1245 terminou com muitos outros destacados condes, duques e prelados comprometendo-se com a expedição. O conde de Champagne estava ocupado no norte da Espanha, mas muitos membros importantes de sua casa se alistaram, entre eles um cavaleiro de vinte e três anos de idade, João de Joinville, que havia herdado o título de senescal de Champagne (nessa época, um cargo cerimonial solene). Como participante da cruzada em preparativos, Joinville passou a conhecer bem o rei Luís e testemunhou a guerra santa em primeira mão. Anos mais tarde, o senescal escreveu um vívido relado do que viu e experimentou, embora retratando o monarca franco sob uma luz heroica. O relato de Joinville em francês arcaico – uma mistura de memórias pessoais e biografia real (por vezes até uma hagiografia) – oferece uma das mais viscerais e esclarecedoras visões da experiência humana da cruzada.[30] O testemunho de Joinville, além de uma riqueza de outras evidências contemporâneas, deixa muitíssimo claro que Luís IX se dedicou aos preparativos para a expedição com enorme energia. As elaboradas medidas tomadas revelam um louvável grau de previsão e um olho para o detalhe.

Também fica claro que a atitude do rei para com o planejamento desenvolveu-se a partir de uma crença de que o sucesso dos cruzados dependia de considerações tanto práticas quanto espirituais.

Luís adotou uma abordagem notoriamente clínica da questão da preparação logística, acessando a crescente sofisticação administrativa da França do século XIII. Ele não tinha nenhuma intenção de comandar uma força descoordenada ao Oriente. Escolhendo Chipre como seu posto avançado, o rei tratou de formar um suprimento de comida, armas e recursos necessários à guerra. Depois de dois anos de estocagem de mercadorias na ilha, à espera do exército, vastas pilhas de trigo e cevada pareciam colinas, enquanto pilhas de barris de vinho, vistas à distância, poderiam facilmente ser confundidas com celeiros. Aigues-Mortes, um novo porto fortificado na costa sudeste da França, serviu como base de operações europeia para a expedição.

Essa atividade febril custou uma fortuna. A monarquia capetíngia assumiu um extraordinário compromisso financeiro com a cruzada, e Luís reuniu um considerável fundo de guerra para financiar a campanha. Relatos da corte sugerem que seu gasto durante os dois primeiros anos totalizou dois milhões de *livres tournois* ("libras" de ouro do peso aceito em Tours), boa parte do qual para pagar soldos ou subsídios para os cavaleiros franceses. Como a renda total da coroa não passava de 250 mil *livres tournois* por ano nesse período, o esforço econômico para montar a campanha foi imenso. Para ajudar a pagar a conta, Luís recebeu do papa um vigésimo de todos os ganhos eclesiásticos na França. Oficiais da coroa também extorquiram dinheiro dos heréticos e dos judeus, e, no geral, Luís não se importava em implorar, tomar emprestado e roubar em nome da guerra santa. Além disso, ele incentivou outros líderes cruzados a recorrer a seus próprios fundos e contribuir para a organização do transporte.[31]

Muitas cruzadas anteriores haviam sido prejudicadas pelas rivalidades internas que assolavam a cristandade latina. Esse ambiente de política hostil havia levado monarcas a postergar ou abandonar seus planos de guerrear no Levante, devido à ansiedade causada pelas potenciais consequências de uma ausência prolonga. Porém, embora Luís IX estivesse consciente de seus compromissos com o reino da França, ele evidentemente achou que eles deveriam ser contrabalançados pela absoluta prioridade de comandar uma cruzada. Assim, antes de partir para o Oriente, o rei conferiu a regência de seu domínio capetíngio a Branca, sua mãe experiente. Da mesma forma, fez o que pôde para acalmar os assuntos políticos da Europa: desde tentar obter um acordo entre o papado e Frederico II a incentivar a paz com a Inglaterra. Mas mesmo quando essas empreitas atingiram um sucesso negligenciável (como no conflito dos Hohenstaufen com Roma) e as ameaças à segurança da França e da própria posição de Luís como rei continuavam a existir, ele se recusou a postergar sua partida ou comutar seu voto.

Além de seus esforços em levar harmonia – e, como ele a via, a irmandade cristã – para o Ocidente, num sentido mais pessoal o rei capetíngio tratou de conseguir a paz, tanto para seu povo como para sua alma. Luís acreditava claramente que sua cruzada não prevaleceria por meio de obras humanas, mas que deveria ser conduzida dentro de um espírito de contrita devoção, com o coração puro. Ele deu o passo inovador de instituir uma série de indagações, conduzida, no geral, pelos frades mendicantes, para resolver as principais disputas legais dentro de seu reino, e extirpar toda corrupção e injustiça causadas por ele mesmo, seus oficiais ou mesmo seus ancestrais. Já na Primeira Cruzada, alguns dos que aceitaram a cruz haviam buscado colocar seus negócios em ordem e resolver disputas antes da partida, mas nunca nesta escala.

A cruzada de Luís começou em Paris em 12 de junho de 1248, com uma cerimônia pública comovente e ritualizada, destinada a fazer eco à piedade de seus antepassados cruzados. O rei recebeu os símbolos do peregrino cruzado – o embornal e o cajado – na catedral de Notre Dame e, então, caminhou descalço até a igreja real de San Denis para receber a *Auriflama*, o histórico estandarte de batalha da França. De lá, foi para o Sul, até a costa, partindo com seu exército de Aigues-Mortes e Marselha no final de agosto.

As melhores estimativas sugerem que Luís comandou uma força total de 20 mil a 25 mil homens. Estes incluíam cerca de 2.800 cavaleiros, 5.600 sargentos montados e dez mil homens da infantaria. Além disso, algo em torno de cinco mil arqueiros lutaram nessa cruzada; significativos avanços na precisão e no poder dos arcos permitiram que esses soldados desempenhassem um importante papel na campanha que, certamente, não era constituída por um grande contingente, mas o rei parece ter tomado a decisão consciente de ir para a guerra com uma força seleta, em vez de uma horda desconexa – ele chegou a deixar para trás muitas centenas de soldados e não combatentes que, na esperança de se juntar à expedição, haviam se reunido em Aigues-Mortes por conta própria.

Seguindo a prática agora estabelecida, a cruzada fez sua jornada ao Oriente Próximo por mar. Luís viajava a bordo de uma grande nave real, chamada de *Montjoie*, ou "Monte da Alegria", nome dado ao local a partir do qual os peregrinos rumo a Jerusalém tinham sua primeira visão da Cidade Santa. Mas, para a maioria dos francos, a viagem para o Mediterrâneo Oriental foi assustadora e extremamente desconfortável. A embarcação normal tinha cerca de 140 metros quadrados de espaço no deque (aproximadamente a metade do tamanho de uma moderna quadra de tênis, mas precisava carregar cerca de quinhentos passageiros, e por vezes muitos mais. Não é de surpreender que um cruzado tenha comparado a viagem marítima a estar encerrado numa prisão. Os deques inferiores amiúde eram usados para levar cavalos, embora Luís também tenha encomendado transporte especialmente construído para essa preciosíssima carga de animais, essencial para o estilo preferido dos latinos de guerra equestre.

João de Joinville descreveu a experiência da partida de Marselha no final de agosto de 1248. Tendo embarcado no navio, ele observou os cavalos sendo levados para os deques inferiores através de uma porta no casco. Essa porta era então cuidadosamente calafetada "como se faz com um barril antes de mergulhá-lo na água, pois quando o navio estiver em alto-mar, essa porta ficará completamente submersa". Incentivados pelo capitão do navio, toda a tripulação e passageiros entoaram um hino muito popular entre os cruzados, "*Veni, Creator Spiritus*" (Vinde, espírito criador), enquanto as velas se desfraldavam e a viagem começava. Porém, mesmo com seu moral elevado, Joinville admitiu sentir o efeito da intensa oscilação durante a viagem por mar, observando que ninguém "sabe, quando vai dormir à noite, se não estará deitado no fundo do mar na manhã seguinte". Na ocasião, seus medos mostraram-se infundados, e o senescal chegou a Chipre cerca de três semanas depois, onde o rei Luís já havia chegado no dia 17 de setembro.[32]

ATACANDO O NILO

Ao chegar a Chipre, Luís IX não fez nenhum movimento precipitado para iniciar uma campanha militar; em vez disso, dedicou o inverno e a primavera seguintes para mobilizar suas tropas e completar sua estratégia. À expedição juntaram-se contingentes da Palestina latina – inclusive muitos importantes nobres francos e forças substanciais extraídas de cada uma das três principais Ordens Militares – e o venerável patriarca de Jerusalém, Roberto de Nantes (que diziam estar com quase oitenta anos de idade), que, com o legado papal Odo de Châteauroux, supervisionou o cuidado espiritual com o exército. Apesar desses acréscimos, a reivindicação de Luís quanto ao supremo comando da cruzada parece ter sido inquestionável.

Uma firme decisão foi tomada nesse estágio (talvez até antes): realizar uma campanha contra o Egito, devido à continuada vulnerabilidade do regime aiúbida do sultão al-Salih. O objetivo de Luís parecia ser a conquista de toda a região. No lugar de se envolver em negociações, antes de iniciar um assalto ou depois de ganhos territoriais terem sido feitos, ele pretendia esmagar o centro do poder aiúbida e então usar a região do Nilo como nova base a partir da qual saltar para a recaptura do restante da Terra Santa. Era um plano ambicioso, mas não inteiramente fora da realidade. Depois de algum debate, avaliados os méritos relativos de atacar Alexandria ou Damieta, a segunda opção acabou por ser eleita e a cruzada de Luís foi posta em curso para seguir os passos da Quinta Cruzada.

A expedição emergiu após meses de nervosa antecipação no Chipre com um líder reconhecido e a concordância de um objetivo – dois indicadores promissores. Mas a demora também teve o seu preço. Saber da chegada de Luís permitiu que al-Salih preparasse suas defesas no Egito. A doença (talvez a malária) também custou a vida de cerca de 260 nobres e cavaleiros latinos – cerca de um décimo da força total – mesmo antes de a campanha ter efetivamente começado. Para outros, o prolongado período de inatividade solapou seus recursos financeiros: como muitos de seus compatriotas, Joinville quase ficou sem dinheiro para pagar seus cavaleiros e foi contratado pelo rei Luís.

No final da primavera, contudo, os preparativos estavam completos. No dia 13 de maio de 1249, uma poderosa armada de cerca de 120 grandes galeões e talvez outras mil naves menores zarpou do Chipre. Joinville escreveu que "era como se o mar inteiro, até onde a vista podia alcançar, estivesse coberto com as lonas das velas dos navios". Tempestades e ventos difíceis dispersaram parte do comboio naval, e foram necessários vinte e três dias para chegar à costa egípcia. Quase no final da viagem, os cruzados depararam-se com um grupo de galeras muçulmanas. Três foram prontamente afundadas com flechas incendiárias e pedras lançadas de catapultas montadas nos deques dos francos, mas um navio escapou, ainda que seriamente danificado, e parece ter emitido uma advertência aos muçulmanos posicionados na costa norte da África.[33]

No início de junho, os latinos ancoraram próximo de Damieta. A Quinta Cruzada tinha conseguido desembarcar nas margens ao norte da cidade e a oeste do Nilo despercebida – mas os homens de Luís não desfrutariam desse luxo. Dispostas ao longo do litoral estavam milhares de tropas aiúbidas sob o comando de Fakhr al-Din, o emir que havia negociado com Frederico II na década de 1220 e agora ascendera à posição de um dos principais generais de al-Salih. A foz no Nilo também estava guardada por uma flotilha muçulmana. Confrontado por essa oposição entrincheirada, Luís convocou um conselho de guerra no *Montjoie*, chegando-se à decisão de lançar um desembarque em massa na manhã seguinte. O rei e seus conselheiros certamente sabiam que estavam prestes a fazer uma enorme aposta – tentar o mais audacioso assalto anfíbio da história das cruzadas. Qualquer falta de coordenação entre os navios chegando à praia poderia deixar os guerreiros francos isolados para serem aniquilados. E se a força bruta do assalto inicial falhasse e nenhum posto avançado fosse conquistado na costa, toda a expedição poderia entrar em colapso devido a essa primeira ofensiva.

O assalto à praia

Ao nascer do sol do sábado, 5 de junho de 1249, milhares de latinos amontoaram-se em seus navios para rezar. Todos haviam sido instruídos a fazer suas confissões durante a noite. No *Montjoie*, Luís assistiu à missa, como fazia toda manhã. Então, por toda a frota, iniciou-se o difícil trabalho de deslocamento dos grandes navios de transporte para barcos menores, apropriados para águas mais rasas. João de Joinville e seus homens saltaram para um escaler, que ficou tão superlotado que quase afundou. Mais tarde ele observou um infeliz cavaleiro que avaliou mal seu salto para um bote enquanto "este se afastava, de modo que ele caiu no mar e se afogou".

Joinville descreveu a cena na costa do delta com vívida clareza: "Todo o contingente das forças do sultão (estava) disposto ao longo da praia. Era uma visão de encantar os olhos, pois os (estandartes) do sultão eram todos de ouro, e onde o sol os atingia brilhavam resplandecentes. O alarido que esse exército fazia com seus tambores e trombetas sarracenas era de aterrorizar o ouvido". Em torno deles, centenas de barcos estavam desembarcando na praia, muitos deles brilhantemente pintados com brasões de armas, avançando com seus pendões, com seus remadores esforçando-se por avançar.

O escaler de João de Joinville foi dos primeiros a alcançar terra, bem diante de um grupo de cavaleiros muçulmanos, que imediatamente atacou. Ele descreveu como, saltando para a água rasa, "enterramos o lado pontudo de nossos escudos na areia e fixamos nossas lanças firmemente no chão com as pontas na direção do inimigo". O eriçado círculo de metal de proteção salvou Joinville e seus homens, "pois no momento em que (o inimigo que atacava) viu as lanças prestes a perfurar-lhes o ventre, deu meia-volta e fugiu". Tendo sobrevivido ao primeiro encontro, o grupo de João fixava sua posição enquanto milhares de outros latinos alcançavam a praia.[34]

Acima e abaixo da costa irrompeu um feroz embate, à medida que os muçulmanos lançavam fulminantes blocos de flechas e lanças contra os barcos que aportavam. Logo ficou claro que nem todos os botes francos eram suficientemente rasos para alcançar as areias. Nesse terrível momento houve a possibilidade real de que o ataque poderia ser retardado, mas foram emitidas ordens urgentes para que os homens saltassem e vadeassem até a praia. Alguns saltaram cedo demais "em sua fervorosa ansiedade" e se afogaram; outros se viram imersos até a cintura ou até o peito, mas começaram a avançar imediatamente. Muitos cavaleiros esforçaram-se para desembarcar seus cavalos para que pudessem lutar montados, enquanto os besteiros cristãos procuravam dar cobertura, deslanchando uma chuva de setas que, segundo um cruzado, foi "tão densa e tão rápida que era uma maravilha de se ver". Ferozes escaramuças irromperam por toda a costa, mas os cavaleiros francos com pesadas armaduras logo formaram unidades bem-ordenadas e, depois que essas tropas formadas se estabeleceram em terra firme, os ataques muçulmanos foram se tornando cada vez mais ineficazes.

Enquanto o ataque se voltava a favor dos latinos, Luís IX ficou observando de seu próprio bote, ao lado de Odo de Châteauroux. O plano era que o rei ficasse a bordo em segurança, mas quando o soberano capetíngio viu seu estandarte real, a *Auriflama*, cravada nas areias do Egito, sua resignação se desvaneceu. A despeito das inflamadas objeções do legado papal, Luís saltou para a água que lhe chegava até o peito e avançou, "com seu escudo pendurado no pescoço, o elmo na cabeça e a lança em punho, até se juntar ao pessoal da praia". Ali, com o sangue fervendo, o rei teve de ser impedido de entrar em combate.

Bolsões de combate prosseguiram até o meio-dia, mas a defesa aiúbida estava mal orquestrada e lhe faltava determinação. Fakhr al-Din por fim bateu em retirada para o interior, na direção de Damieta. Dizem que os muçulmanos perderam quinhentos homens, incluindo três emires e muitos cavalos, enquanto os francos sofreram apenas baixas limitadas. O desembarque havia sido um brilhante sucesso. Muitos cruzados sentiram claramente que tinham sido levados à vitória pela graça de Deus, com um deles escrevendo numa carta que os latinos lutaram "como fortes campeões do Senhor".[35]

Uma sorte maior deveria se seguir. O rei Luís, ao ter esperado e se preparado para um cerco determinado de Damieta, estava ciente do árduo investimento de dezoito meses empreendido pela Quinta Cruzada. Quando o dia começou a findar, ele ordenou o envio de suprimentos para a praia, preparando-se para fortificar sua posição e, se necessário, repelir um contra-ataque. Mas nesse mesmo dia, os francos ficaram surpresos ao descobrir que Damieta havia sido abandonada. Colunas de fumaça eram vistas se erguendo da cidade, e batedores voltaram com a notícia de que sua guarnição havia fugido, alguns por terra, outros descendo o Nilo. Com um único golpe, Luís havia conquistado o primeiro objetivo de sua campanha, estabelecendo um posto avançado no Nilo e abrindo as portas do

Egito. Era o feito inicial mais surpreendente de qualquer cruzada. No escaldante calor do verão norte-africano, ver os aiúbidas fugindo das praias e abandonando Damieta parece ter inflamado a mente de Luís e de seus compatriotas. Para eles, era uma imagem a ser saboreada – que parecia mostrar um mundo muçulmano à beira do colapso e prenunciar a total vitória cristã.

O DECLÍNIO AIÚBIDA

Os cruzados acharam que seu sucesso no início de junho de 1249 nascera de sua superioridade militar e da condição enfraquecida do Islã. Mas, embora essas ideias contivessem mais que uma ponta de verdade, elas também escondiam a realidade subjacente da situação. A decisão de Fakhr al-Din de abandonar o campo de batalha em 5 de junho não parece, em primeiro lugar, ter sido uma resposta à ferocidade latina. Na verdade, ele abandonou o litoral e marchou prontamente para o acampamento do exército egípcio ao sul, depois de Damieta, pois suas reais ambições estavam em outra parte. A cidade tinha sido protegida por um regimento conhecido como os quinanias, renomados por sua bravura: mas horrorizados por se descobrirem abandonados, eles também se retiraram durante a noite. Correndo para o sul, essas forças se reagruparam no principal acampamento aiúbida, onde o sultão al-Salih mantinha um poder em declínio terminal.

Depois do triunfo muçulmano em La Forbie em 1244, al-Salih dera as costas para os quarismianos. Achando que essa horda de incontroláveis mercenários era perigosa demais para se confiar, ele impediu que seus antigos aliados entrassem no Egito. Deixados para trás para devastar a Palestina e a Síria com pouco propósito coerente, a selvageria devastadora que animava os quarismianos acabou por se extinguir e, em 1246, eles foram totalmente derrotados por uma coalizão de muçulmanos sírios. Nos anos que se seguiram, al-Salih tratou de assumir o controle de Damasco e ocupar outras partes da Palestina. Por essa época, contudo, o sultão caiu gravemente enfermo com tuberculose. Em 1249 sua saúde estava se deteriorando rapidamente e ele só conseguia viajar carregado numa liteira. Em um certo sentido, portanto, a cruzada do rei Luís IX estava devidamente sincronizada, pois coincidiu com um período de séria debilidade do alto comando aiúbida. Contudo, embora al-Salih estivesse morrendo, havia outros muçulmanos ansiosos por assumir seu lugar, entre os quais Fakhr al-Din. Assim, foi por isso que o emir abandonou prontamente seu posto em Damieta no início do verão de 1249, preocupado com a ideia de que um envolvimento prolongado na costa poderia fazê-lo perder a oportunidade de assumir o poder quando o sultão morresse. O resultado dos eventos no Delta do Nilo enfureceu o debilitado al-Salih. Ele parece ter suspeitado do verdadeiro motivo por trás da retirada de Fakhr al-Din, mas lhe faltava a confiança para punir abertamente um emir tão proeminente. Os quinanias não tiveram tanta sorte, e o sultão fez enforcar todo o regimento.[36]

Essa brutalizada atmosfera de desconfiança, traição e rivalidade era apenas uma expressão de um mal-estar mais amplo que afetava todo o reino aiúbida no Levante. Depois de longas décadas de domínio, a dinastia estabelecida por Saladino e seu irmão al-Adil estava se arrastando para a desintegração – afetada pela liderança ineficiente e paralisada pela intriga interna. Mas isto não significava que a conquista franca do Egito ou da Terra Santa continuaria sem oposição. Na verdade, para além dos sonhos de glória de Fakhr al-Din, outra força extraordinariamente potente estava ganhando destaque no Egito: os mamelucos.

Mamelucos – as espadas do Islã

Os mamelucos, ou soldados-escravos, tinham sido usados pelos governantes muçulmanos do Levante durante séculos, desempenhando papéis significativos nos exércitos zênguidas e aiúbidas nos séculos XII e XIII. Esses guerreiros ferozmente leais e altamente profissionais eram produto de um elaborado sistema de escravidão e de treinamento militar. A maioria deles era composta de etnias turcas que viviam nas estepes russas de Quipchaque, para além do norte do Mar Negro, capturados quando meninos (normalmente entre os oito e doze anos de idade), escravizados e bem organizados em grupos para depois serem vendidos a potentados islâmicos no Oriente Próximo e no Médio para então serem doutrinados na fé muçulmana além de treinados na arte da guerra.

Os mamelucos eram valorizados não apenas por sua habilidade marcial incomparável, mas também por sua fidelidade. Como seu bem-estar e sobrevivência estavam diretamente ligados a apenas um mestre, eles tendiam a ser notoriamente fiéis – uma qualidade incomum no lodaçal conivente da política do poder medieval dos islâmicos. Comentando sua louvável confiabilidade, um governante seljúcida do século XI observou que "um escravo obediente é melhor que trezentos filhos; pois estes últimos desejam a morte do pai, mas os primeiros invocam a vida longa para seu mestre". Por mais estranho que possa parecer, tal lealdade também era produto da perspectiva de uma vida relativamente tranquila, pois muitos mamelucos proeminentes chegaram a papéis de comando, à liberdade e à prosperidade. Governantes de Nur al-Din a al-Kamil empregaram mamelucos em posições que iam de guarda-costas "reais" a generais de campo, mas nenhum sultão recorreu mais a seus serviços que al-Salih. Depois de 1240, ele foi ficando cada vez mais desconfiado da fidelidade de seus outros empregados e soldados. Sendo assim, formou um exército muito maior apenas de mamelucos. A elite central dessa força era um regimento de mil homens conhecido como a Bahriyya (nome derivado de sua guarnição perto do Cairo, numa ilha do Nilo, que em árabe era conhecida como *bahr al-Nil*, ou "o mar do Nilo". Um contemporâneo muçulmano registrou que a Bahriyya rapidamente "se tornou uma força poderosa, de extrema coragem e ousadia, da qual os muçulmanos tiraram o maior proveito". Até certo ponto, a criação desse grupo selecionado por al-Salih, mais o uso maior de outras unidades mamelucas, fazia perfeitamente sentido. A contínua sobrevivência de seu cambaleante regime político logo se tornou dependente do duradouro apoio da Bahriyya. Mas, se e quando al-Salih morresse, sua lealdade a um sucessor aiúbida poderia vacilar – na verdade, os mamelucos poderiam até começar a questionar se deveriam passar a comandar ao invés de serem comandados.

Nesse momento, porém, o equilíbrio se mantinha. Al-Salih continuou vivo no verão e no outono de 1249, estabelecendo uma base bem protegida de operações para seu exército ao lado da cidade fortificada de Mansura – a mesma posição assumida por seus predecessores aiúbidas na época da Primeira Cruzada. Com o exército muçulmano assim posicionado e suas fileiras ampliadas pela presença da Bahriyya, era evidente que a cruzada do rei Luís encontraria uma resistência muito maior que a encontrada em Damieta se ele ousasse avançar para o sul ao longo do Nilo.[37]

PARA CONQUISTAR O EGITO

A ocupação de Damieta pelos francos foi seguida por outro período de cautelosa inatividade da parte de Luís. O soberano capetíngio não tinha o menor interesse em usar Damieta como troféu de barganha para conseguir concessões territoriais na Palestina – em vez disso, ele aspirava conquistar todo o Egito aiúbida e, então, com a resistência muçulmana despedaçada, voltar-se para o leste, em direção a Jerusalém. Essa estratégia significava que, em algum ponto, a cruzada teria que marchar pelo interior. O rei parecia ciente de alguns dos problemas enfrentados no Egito pelo cardeal Pelágio e por João de Brienne 28 anos antes, e algumas testemunhas oculares cristãs presentes em Damieta em 1249 referiam-se explicitamente aos reveses experimentados pela Quinta Cruzada. Com certeza, com a cheia do Nilo pendente, Luís não fez nenhuma tentativa imediata de marchar para o sul. Em vez disso, a expedição aguardou o verão.

Durante esses meses, Luís e seus conselheiros debateram o passo seguinte da campanha. O porto de Alexandria foi considerado alvo possível, mas um dos irmãos do rei, Roberto de Artois, aparentemente recomendou uma invasão direta rumo sul, argumentando que "para matar a serpente, primeiro é preciso esmagar-lhe a cabeça". Com o exército aiúbida de al-Salih agora aquartelado em Mansura, a cruzada de Luís, portanto, deveria encarar um desafio estratégico similar ao confrontado por Pelágio. Mas a experiência do desembarque em Damieta apontava para a fraqueza muçulmana, e se o sucesso pudesse ser obtido no Nilo, os ganhos seriam espetaculares. Um cronista muçulmano reconheceu o perigo, observando que "se o exército (aiúbida) em Mansura fosse rechaçado para apenas um estágio da retaguarda, todo o Egito seria conquistado em pouquíssimo tempo".[38]

Por volta de novembro de 1249, quando a cheia retrocedeu, o exército começou a avançar ao longo da margem oriental do Nilo. Em comparação com Pelágio, o rei tinha uma compreensão melhor – ainda que não fosse perfeita – da topografia do delta e uma avaliação mais completa do desafio a enfrentar. Ele tratou de traçar a rota do sul do rio, avançando paralelamente a ele com uma frota de "barcos muito grandes e pequenos, carregados com alimentos, armas, máquinas, armaduras e tudo o que era necessário para a guerra". O avanço foi lento, em parte devido a um vento soprando do Sul que dificultava a navegação contra a corrente do Nilo, além de alguns ataques prematuros e experimentais dos aiúbidas, que foram facilmente rechaçados. Mesmo assim, os cristãos se aproximaram inexoravelmente de Mansura.

Nos estágios finais da jornada, Luís – como Pelágio antes dele – deve ter avançado para além do ponto onde o canal Mahalla junta-se ao Nilo, mas esse curso d'água crítico não foi mencionado em nenhum dos relatos cristãos do avanço, e parece que os francos não fizeram nenhuma tentativa de bloquear ou guardar seu curso. À primeira vista, isso parecer ter sido total insanidade, dado o papel decisivo do canal, desempenhado em 1221. Mas, com toda probabilidade, nem Luís e seus contemporâneos, nem os próprios homens da Quinta Cruzada, chegaram a entender totalmente como al-Kamil conseguiu posicionar uma frota nos limites ao norte do Nilo. E mesmo que o rei franco tivesse tempo de reconhecer o canal em 1249, fora da principal cheia de verão, suas águas rasas eram provavelmente consideradas impróprias para a navegação.

De qualquer modo, os francos completaram sua marcha em 21 de dezembro, assumindo uma posição idêntica à ocupada pela Quinta Cruzada, ao norte da bifurcação entre os rios Nilo e Tânis. Os aiúbidas haviam erguido um acampamento com tendas no lado oposto, na margem sul do Tânis, enquanto aquartelavam o grosso de suas forças um pouco mais ao sul. Os mamelucos da Bahriyya, nesse ínterim, haviam se aquartelado em Mansura (que, desde 1221, havia passado de um acampamento para um sítio fortificado permanente). Durante a marcha de Luís, vindo de Damieta, os eventos na corte aiúbida avançaram. Depois de uma longa e paralisante batalha contra a doença, al-Salih morreu em 22 de novembro. Fakhr al-Din, então, Fakhr al-Din forjou uma aliança com uma das viúvas do falecido sultão, Shajar al-Durr. Segundo fontes muçulmanas, o par se esforçou ao máximo para esconder a morte de al-Salih: guardaram seu corpo, cuidadosamente envolto com uma mortalha, em um caixão; forjaram sua assinatura em documentos que transferiam o comando geral do exército para Fakhr al-Din; e até mantiveram a ordem de pôr a mesa para o jantar toda noite, afirmando que o sultão estava doente demais para fazer a refeição.

No tocante a Shajar al-Durr, o engodo destinava-se a preservar a aparência da unidade aiúbida diante do avanço dos cruzados, bem como a permitir que a sucessão do sultanato fosse definida. Para esse fim, Aqtay – comandante dos mamelucos de elite da Bahriyya – foi enviado à Mesopotâmia para convidar al-Mu'azzam Turanshah, filho e herdeiro de al-Salih, a assumir o controle do Egito. Fakhr al-Din concordou com esse plano, para evitar suspeitas e porque o esquema removia o próprio Aqtay (um possível rival) do campo. Em particular, contudo, Fakhr al-Din parece ter esperado que, dadas as distâncias envolvidas e as terras inimigas a serem cruzadas, a mensagem não chegaria ou Turanshah não faria nenhuma tentativa de chegar ao norte da África. Nas palavras de um cronista muçulmano, Fakhr al-Din "objetivava um governo único e arbitrário".

Apesar de toda essa intriga complicada, a notícia da morte de al-Salih acabou por vazar, provocando alarme e inquietação no Cairo. Logo Luís IX também descobriu, como afirmou mais tarde, que "o sultão do Egito tinha terminado sua vida miserável" – novidades que somente aumentaram as esperanças de vitória do rei.[39]

O principal desafio dos cruzados agora era romper a barreira física do rio Tânis, que transbordava rapidamente. O estratagema de Luís, aparentemente formulado em Damieta, era construir uma passagem "de madeira e terra" sobre o rio. Para atingir esse objetivo, o rei instruiu seu engenheiro-chefe, Joscelino de Cornaut, para supervisionar um plano em dois estágios.

Um par de "casas de gato" – torres móveis com telas protetoras, estendidas – foi erguido, sob o qual os trabalhadores poderiam construir a passagem. Ao mesmo tempo, cerca de dezoito máquinas de lançar pedras foram trazidas da costa e montadas para garantir o fogo de cobertura. Depois que todas essas geringonças foram montadas e posicionadas, a segunda fase, mais perigosa, a da construção da passagem, de fato teve início.

Infelizmente para os francos, o exército egípcio também tinha seu próprio arsenal bélico na margem sul do Tânis. Assim que os cruzados tomaram posição, Frakhr al-Din iniciou um bombardeio incessante, "usando um revezamento de homens dia e noite" para garantir uma constante barragem de "pedras, lanças, flechas de arcos (e) bestas que caíam tão pesadas quanto a chuva". Como muitos exércitos muçulmanos antes deles, os aiúbidas posicionados em Mansura também tinham uma vantagem tecnológica mortal sobre os inimigos cristãos: um suprimento de fogo grego altamente inflamável (ou, como apropriadamente chamou um franco, "fogo do inferno"). Fakhr al-Din tinha por alvo as "casas de gato" de madeira dos latinos, lançando torrentes de fogo grego sobre elas, com um efeito devastador. João de Joinville recebeu a ordem de tripular uma dessas torres vulneráveis por diversas noites, e mais tarde ele descreveu o terror absoluto que ele e seus homens experimentaram, observando frascos de fogo grego voando pelo céu escuro como "dragões voando pelo ar", com longas "caudas de fogo caindo atrás" deles. Um dia, no início de 1250, quando João não estava em seu posto, a barragem aiúbida finalmente funcionou, e as torres foram abaixo em chamas. Agradecido por isso não ter ocorrido enquanto ele estava em seu posto, Joinville escreveu: "eu e meus cavaleiros louvamos a Deus por nos ter poupado desse acidente".[40]

Mesmo com as "casas de gato", as tentativas de construir uma passagem tinham fracassado porque a rápida correnteza do rio erodia a estrutura. Na primeira semana de fevereiro, Luís cancelou os inúteis esforços, e o moral do acampamento decaiu, pois parecia que se tinha chegado a um impasse. Nessa mesma época, contudo, um traidor muçulmano – por vezes descrito como beduíno ou desertor do exército egípcio – contou aos latinos sobre um vau descendo uma curta distância do Tânis que lhes daria acesso à margem sul do rio. Brindado com esse inesperado lampejo de esperança, o rei franco decidiu imediatamente usar essa informação para montar um ataque direto ao acampamento aiúbida.

Ciente dos terríveis riscos envolvidos nessa operação e das consequências letais de ser apanhado e cercado do outro lado do Tânis, Luís formulou suas táticas com cuidado. Para evitar ser detectada, a travessia devia começar antes do alvorecer. A profundidade do vau e a necessidade de agir rapidamente excluíam o envolvimento da infantaria; assim, apenas cavaleiros e sargentos montados foram selecionados. E atento à manutenção da estrita disciplina, esses homens foram selecionados entre os contingentes franceses de confiança do rei, bem como entre os das Ordens Templária e Hospitalária. Os francos do Ultramar e os cavaleiros teutônicos deviam permanecer em formação, defendendo o norte do acampamento. Acima de tudo, era imperativo que toda a força de ataque alcançasse a margem sul e se reagrupasse antes que qualquer ofensiva fosse montada. Com isso em mente, Luís "ordenou a todos eles – grandes e pequenos – que ninguém ousasse sair de sua posição".[41]

A Batalha de Mansura

Antes da aurora, numa terça-feira, 8 de fevereiro de 1250, o plano do rei foi posto em ação. Os cruzados templários abriram caminho, seguidos de perto por uma porção dos cavaleiros comandados pelo irmão de Luís, o conde Roberto de Artois, entre eles o inglês Guilherme Espada Longa, duque de Salisbury. Logo ficou claro que o vau era mais fundo que o esperado, exigindo que os cavalos nadassem em meio à corrente, e as margens íngremes e lamacentas dos dois lados fizeram que os cruzados caíssem de suas montarias e se afogassem. Não obstante, centenas de francos começaram a alcançar a outra margem. Então, quando o sol estava se levantando, Roberto de Artois tomou a súbita e inesperada decisão de lançar um ataque, comandando seus homens contra a base dos aiúbidas na margem do rio. Na confusão, os templários foram logo atrás, deixando Luís e o núcleo da força de ataque no meio do vau. Nesse instante, toda esperança de uma ofensiva ordenada se evaporou. É impossível saber o que levou Roberto a agir tão precipitadamente: talvez ele visse ali a oportunidade de um ataque surpresa escapulir, ou talvez a promessa de glória e renome o tivesse incentivado. Enquanto ele avançava, os que ficaram para trás – inclusive o rei – devem ter experimentado uma mistura de choque, espanto e raiva.

Mesmo assim, à primeira vista parecia que a audácia de Roberto poderia salvar o dia. Penetrando no acampamento muçulmano que nada suspeitava e onde muitos ainda dormiam, a força combinada do conde com cerca de seiscentos cruzados e templários encontrou apenas uma resistência limitada. Fakhr al-Din, que fazia sua ablução matinal, vestiu-se rapidamente, montou em seu cavalo e partiu, desarmado, para o tumulto. Interceptado por um grupo de templários, foi atacado e morto por dois fortes golpes de espada. Em outras partes do acampamento, a matança era indiscriminada. Um relato franco descreveu como os latinos estavam "matando todos, sem poupar ninguém", observando que "na verdade era triste ver tantos cadáveres e tanto sangue derramado, exceto que se tratava de inimigos da fé cristã".[42]

Esse tumulto brutal tomou conta do acampamento aiúbida e, se Roberto tivesse optado por garantir o campo, reordenar suas forças e aguardar a chegada de Luís, uma incrível vitória poderia estar à disposição. Mas não foi assim. Com os retardatários muçulmanos correndo para Mansura, o conde de Artois tomou a decisão totalmente insensata de persegui-los. Enquanto ele se preparava para iniciar uma segunda carga, o comandante templário recomendou prudência, mas Roberto o repreendeu por sua covardia. Segundo um relato cristão, o templário replicou: "Nem eu nem meus irmãos estamos com medo, mas deixe-me dizer-lhe que nenhum de nós deve retroceder, nem você, nem nós".

Juntos, eles e seus homens cavalgaram por uma curta distância para o sul, em direção a Mansura, e penetraram na cidade. Lá, a loucura de sua decisão corajosa, porém suicida, ficou imediatamente aparente. Na planície aberta, mesmo no acampamento aiúbida, os cristãos conseguiram ter a liberdade de manobrar e lutar em grupos bem unidos. Mas entre as ruas e becos apertados da cidade, esse estilo de guerrear mostrou-se impossível. Pior ainda, ao entrarem em Mansura, os francos se viram diante do regimento Bahriyya, de elite, aquartelado na cidade. Esse seria o primeiro encontro mortal dos latinos com esses "leões da batalha". Um cronista muçulmano descreveu como os mamelucos lutaram com total implacabilidade e resolução. Cercando os cruzados "por todos os lados", atacando com lanças, espadas e arcos, eles "viraram suas cruzes de cabeça para baixo". Dos cerca de seiscentos que entraram em Mansura, apenas um punhado escapou. Roberto de Artois e Guilherme Espada Longa foram mortos.[43]

De volta às margens do Tânis, ainda sem saber do horrível massacre que estava se iniciando em Mansura, Luís fez uma valente tentativa de conservar o controle de suas tropas remanescentes, mesmo quando esquadrões de mamelucos começaram a avançar num contra-ataque. Um cruzado descreveu como "um tremendo ruído de trombetas, cornetas e tambores rompeu os ares" à medida que se aproximavam; "os homens gritavam, os cavalos relinchavam; era horrível ver ou ouvir". Mas no meio do tumulto o rei manteve a calma e lentamente abriu caminho para estabelecer uma posição na margem sul do rio, oposta ao acampamento cruzado. Ali, os francos recuperaram a *Auriflama* e fizeram uma tentativa desesperada de se manterem firmes, enquanto os mamelucos lançavam "densas nuvens de projéteis e flechas", correndo para se engajarem no combate corpo a corpo. Os danos provocados nesse dia foram espantosos. Um dos cavaleiros de Joinville recebeu um golpe de "lança entre os ombros, que provocou um ferimento tão grande que o sangue escorria de seu corpo como o vinho pelo buraco de um barril". Outro recebeu um golpe de uma espada muçulmana no meio do rosto que "lhe penetrou o nariz de tal forma que este ficou pendurado sobre seus lábios". Ele continuou a lutar, apenas para depois morrer de seus ferimentos. Quanto a ele mesmo, João escreveu: "Eu só fui ferido pelas flechas inimigas em cinco lugares, embora meu cavalo tenha sido ferido em quinze".

Os cruzados estavam próximos da derrota – alguns tentaram atravessar o Tânis a nado, e uma testemunha ocular "viu o rio coberto de lanças e escudos, e cheio de homens e cavalos se afogando na água". Para os que lutavam ao lado do rei, parecia haver uma torrente infindável de inimigos a enfrentar e "para cada (muçulmano) morto, outro aparecia imediatamente, fresco e vigoroso". Mas em meio a isso tudo, Luís se mantinha firme, recusando-se a ceder. Inspirados por sua resistência, os cristãos suportaram onda após onda de ataque, até que por fim, por volta das três horas da tarde, a ofensiva muçulmana arrefeceu. Quando a noite caiu, os francos ainda dominavam o campo de batalha.[44]

Fontes latinas descreveram a Batalha de Mansura como uma grande vitória cruzada, e, num certo sentido, fora um triunfo. Resistindo aos horrendos golpes da sorte, os francos haviam estabelecido uma cabeça de ponte ao sul do Tânis. Mas o custo desse feito foi imenso. As mortes de Roberto de Artois e seu contingente, além de uma grande parte do exército templário, privaram a expedição de muitos de seus mais bravos guerreiros. Em batalhas ainda por vir, tais perdas seriam amargamente sentidas. E apesar de os cruzados terem atravessado o rio, a cidade de Mansura erguia-se diante deles, barrando-lhes o avanço.

ENTRE A VITÓRIA E A DERROTA

No que se seguiu imediatamente à Batalha de Mansura, Luís IX foi confrontado por um urgente dilema estratégico. Em teoria, o rei tinha duas opções: desconsiderar suas baixas e atravessar o Tânis; ou se fixar na margem sul, na esperança de, de alguma forma, suplantar o inimigo aiúbida. Escolher a primeira teria sido equivalente a admitir a derrota, pois, embora essa tática cautelosa pudesse, permitir que a cruzada se reagrupasse, as chances de montar uma segunda ofensiva cruzando o rio, agora com um exército enfraquecido, eram limitadas. Luís também deve ter reconhecido que a vergonha e a frustração de abandonar uma cabeça de ponte conquistada pelo sacrifício de tantas vidas cristãs abateria os espíritos francos de uma forma provavelmente irreparável. Nessa noite, ou no início da manhã seguinte, o rei poderia ter ordenado uma retirada, mas ao não fazer isso ele assinalou o fracasso da estratégia egípcia, marcando efetivamente o fim da cruzada.

Considerando-se a sincera crença de Luís de que sua empreitada gozava da sanção e do apoio divinos, além da constante pressão moral para ater-se aos princípios da cavalaria e honrar as realizações de seus ancestrais cruzados, não é de surpreender que ele tenha rejeitado todo pensamento de retirada. Em vez disso, começou imediatamente a consolidar sua posição ao sul do rio, recolhendo materiais do acampamento muçulmano atacado – incluindo madeira das treze máquinas remanescentes – para improvisar uma paliçada, enquanto também mandava cavar um fosso defensivo raso. Ao mesmo tempo, alguns barcos pequenos foram unidos para criar uma ponte através do Tânis, ligando o antigo acampamento ao norte e a nova posição dos cruzados. Com essas medidas, os francos procuravam se preparar para o tempestuoso ataque que com certeza ocorreria. E, de momento, Luís parecia apegar-se à lembrança da súbita vitória em Damieta, convencido de que a resistência aiúbida estava para cair.

Três dias depois, as esperanças do rei sofreram um primeiro golpe. Na sexta-feira, 14 de fevereiro, os mamelucos iniciaram um intenso ataque comandado pela Bahriyya, que durou da aurora ao anoitecer. Milhares de muçulmanos cercaram o acampamento cruzado, com o intuito de desalojar os francos por meio do bombardeio aéreo aliado a um sangrento combate corpo a corpo. Os cristãos mais tarde declararam que eles atacaram de uma forma "tão persistente, tão horrível e apavorante" que muitos latinos do Ultramar "disseram que nunca tinham visto um ataque tão ousado e violento". A ferocidade desenfreada dos mamelucos aterrorizou os cruzados, um dos quais escreveu que eles "mal pareciam humanos, mas eram como animais, frenéticos de raiva", acrescentando que "eles claramente não pensavam em morrer". Muitos francos sofreram ferimentos da Batalha de Mansura – Joinville, por exemplo, não mais conseguia vestir a armadura devido a seus ferimentos – mas, não obstante, lutaram com virilidade, ajudados pela chuva de flechas lançadas do velho acampamento do outro lado do rio. Mais uma vez, Luís manteve a calma, e os cristãos conseguiram aguentar, mas só pelo sacrifício de centenas de mortos e feridos, dentre eles o próprio mestre templário, que havia perdido um olho em 8 de fevereiro e nesse instante perdeu o outro, logo falecendo devido a tantos ferimentos.

Os latinos demonstraram uma imensa determinação nos dois terríveis encontros ocorridos naquela semana. Também afirmaram ter matado cerca de quatro mil muçulmanos nesse segundo encontro, mas, mesmo se forem exatas, essas baixas parecem ter comprometido a surpreendente superioridade numérica dos aiúbidas. O exército cruzado havia sobrevivido, embora num estado terrivelmente enfraquecido. Desse ponto em diante, deve ter ficado óbvio que eles não estavam em posição de montar uma ofensiva própria. No máximo, podiam ter esperança de reter sua posição precária na margem sul. E se Mansura não fosse atacada, como a guerra poderia ser ganha?

Nos dias e semanas que se seguiram, esta pergunta foi ficando cada vez mais imperativa. Os egípcios continuavam seus ataques regulares, mas, por outro lado, estavam satisfeitos por confinar os cristãos dentro de sua paliçada. Mas no final de fevereiro, sem nenhuma indicação de progresso na campanha, a atmosfera no acampamento começou a ficar pesada, e a situação dos cruzados foi se complicando ainda mais por conta da deflagração de uma doença. Isso estava em parte ligado ao enorme número de mortos empilhados na planície e flutuando na água. Joinville afirmou ter visto vários corpos descendo o Tânis com a correnteza, até se enroscarem contra a ponte de barcos dos francos, de modo que "todo o rio estava cheio de corpos, de uma margem à outra, e corrente acima até a distância que se podia atingir atirando uma pequena pedra". A falta de alimento também começava a grassar, e isso levou ao escorbuto.[45]

Nessa situação, a cadeia de suprimentos que descia o Nilo até Damieta tornou-se essencial. Até então, a frota cristã estivera livre para levar as mercadorias aos acampamentos de Mansura, mas isso estava para mudar. No dia 25 de fevereiro de 1250, depois de longos meses de viagem a partir do Iraque, o herdeiro aiúbida do Egito, al-Mu'azzam Turanshah, chegou ao Delta do Nilo. De imediato, ele trouxe novo ímpeto à causa muçulmana. Com a cheia do Nilo há muito reduzida, o Canal Mahalla continha pouca água para ser acessado pela extremidade sul, mas Turanshah tinha cerca de cinquenta barcos carregados por terra no norte do canal. De lá, essas embarcações podiam descer o Nilo, evitando a frota franca em Mansura. Joinville admitiu que essa dramática jogada "atingiu nosso pessoal como um grande choque". O ardil de Turanshah foi praticamente idêntico à armadilha contra a Quinta Cruzada, o que para a expedição de Luís significou o desastre.

Nas semanas que se seguiram, navios aiúbidas interceptaram dois comboios de suprimento cristãos saindo de Damieta em direção sul. Interceptados por esse bloqueio, os cruzados logo se viram numa posição irremediável. Um contemporâneo latino descreveu a terrível sensação de desespero que tomou conta do exército: "Todos esperavam morrer, supunha suponha que fosse escapar. Era difícil encontrar um único homem em toda aquela grande hoste que não estivesse lamentando a morte de um amigo, ou uma única tenda ou abrigo sem um doente ou um morto". A essa altura, as feridas de Joinville haviam se infectado. Ele mais tarde lembrou-se de estar deitado em sua tenda ardendo em febre; lá fora, "cirurgiões-barbeiros" removiam as gengivas apodrecidas dos atacados pelo escorbuto, para que pudessem comer. Joinville podia ouvir os gritos dos que suportavam a terrível cirurgia soando pelo acampamento, e os comparou aos "de uma mulher em trabalho de parto". A fome também começou a cobrar um preço alto de homens e cavalos. Muitos francos consumiam com prazer a carniça de cavalos, burros e mulas mortos, e mais tarde passaram a comer gatos e cachorros.[46]

O preço da indecisão

No início de março de 1250, as condições no principal acampamento cristão na margem sul do Tânis eram insuportáveis. Uma testemunha ocular admitiu que "os homens diziam abertamente que tudo estava perdido". Luís foi responsável em grande parte por essa situação. Em meados de fevereiro, ele não conseguiu fazer uma avaliação estratégica realista dos riscos e possíveis ganhos envolvidos na manutenção do acampamento sul dos cruzados, apegando-se à enganosa esperança da desintegração aiúbida. Ele também subestimou grosseiramente a vulnerabilidade de sua linha de suprimento pelo Nilo e o número de tropas necessário para suplantar o exército egípcio em Mansura.

Alguns desses erros poderiam ter sido mitigados se o rei agora tivesse agido com resolução decisiva – reconhecendo que sua posição era totalmente insustentável. As únicas escolhas lógicas remanescentes eram a retirada imediata ou a negociação, mas durante todo o mês de março Luís não adotou nenhuma delas. Em vez disso, enquanto suas tropas se enfraqueciam e morriam ao seu redor, o monarca franco parece ter ficado paralisado pela indecisão – incapaz de encarar o fato de que sua grande estratégia egípcia havia sido frustrada. Foi só no início de abril que Luís finalmente resolveu agir, mas já era tarde demais. Buscando garantir os termos de uma trégua com os aiúbidas, ele parece ter oferecido a troca de Damieta por Jerusalém (estabelecendo mais um paralelo com a Quinta Cruzada). Um acordo desse tipo poderia ter sido aceito em fevereiro de 1250, talvez até em março, mas em abril o jugo muçulmano era claro para todos. Turanshah sabia que estava em clara vantagem e, sentindo que a vitória estava à mão, recusou a proposta de Luís. Agora tudo o que restava aos cristãos era tentar uma retirada para o Norte, através de 64 quilômetros em campo aberto até Damieta.[47]

Em 4 de abril foram passadas ordens pelas linhas do exaurido exército latino. As centenas, talvez milhares, de doentes e feridos tiveram que ser levados para os navios e transportados Nilo abaixo na vã esperança de que algum recurso pudesse romper o bloqueio muçulmano. Os cruzados remanescentes que estavam em condições tiveram que marchar por terra até a costa. A essa altura, o próprio Luís estava padecendo de disenteria. Muitos líderes francos instaram-no a fugir, de navio ou a cavalo, para evitar a captura. Porém, em uma valente (se não tola) demonstração de solidariedade, o rei se recusou a abandonar seus homens. Ele os tinha levado ao Egito; agora tinha a esperança de guiá-los de volta em segurança. Um plano mal concebido foi feito para escapar sob o manto da escuridão, deixando as tendas montadas no acampamento sul para não advertir os muçulmanos de que um êxodo estava para acontecer. Luís também ordenou que seu engenheiro, Joscelino de Cornaut, cortasse as cordas que seguravam a ponte de barcos no lugar depois de o Tânis ter sido cruzado.

Infelizmente, todo o esquema se desmoronou rapidamente. A maioria dos cruzados voltou para a margem norte ao crepúsculo, mas um grupo de batedores aiúbidas percebeu o que estava acontecendo e deu o alarme. Com as tropas inimigas caindo sobre sua posição, Joscelino parece ter perdido a coragem e fugiu – a ponte, com certeza, permaneceu no lugar, e muitos soldados muçulmanos a cruzaram para perseguir os cristãos. À luz que diminuía, o pânico se espalhou e o caos começou. Uma testemunha ocular muçulmana descreveu como "nós os seguimos em sua fuga; a espada não parou de golpear suas costas a noite toda. A vergonha e a catástrofe foram a sorte que os aguardava".

Ainda naquela noite, João de Joinville e dois de seus cavaleiros sobreviventes chegaram a um navio e aguardavam por partir. Ele então pôde observar como os feridos, deixados em meio à confusão à própria sorte no antigo acampamento norte, se arrastavam até as margens do Nilo, tentando desesperadamente chegar a algum navio. Ele escreveu: "Enquanto eu ordenava aos marinheiros que nos tirassem dali, os sarracenos entraram no acampamento (norte) e vi à luz das fogueiras que estavam trucidando os pobres homens na margem". O navio de Joinville entrou pelo rio e, com a corrente levando a embarcação rio abaixo, ele conseguiu escapar.[48]

Ao romper do dia 5 de abril de 1250, a total extensão do desastre ficou aparente. Em terra, grupos desordenados de francos estavam sendo implacavelmente perseguidos por soldados mamelucos que não tinham o menor interesse em mostrar clemência. Nos dias que se seguiram, muitas centenas de cristãos que bateram em retirada foram mortos. Um grupo deles chegou a um dia de Damieta, mas foram cercados e capitularam. No exército, os grandes símbolos do orgulho indomável dos francos tombaram: a *Auriflama* "ficou em frangalhos" e o estandarte templário "foi pisoteado".

Cavalgando em direção norte, o idoso patriarca Roberto e Odo de Châteauroux de alguma forma conseguiram evitar a captura, mas, depois das primeiras vinte e quatro horas, exauridos por seus esforços, não conseguiram prosseguir. Roberto mais tarde descreveu numa carta como, por acaso, deram com um pequeno barco preso à margem e, por fim, alcançaram Damieta. Poucos tiveram a mesma sorte. A maioria dos navios carregando os doentes e feridos foi saqueada ou queimada na água. O barco de João de Joinville desceu lentamente o rio, enquanto ele assistia às terríveis cenas de carnificina nas margens, mas sua embarcação foi finalmente vista. Com quatro navios muçulmanos vindo contra eles, Joinville virou-se para seus homens e lhes perguntou se deviam chegar à margem e tentar abrir caminho até a segurança lutando ou ficar na água e serem capturados. Com desarmada honestidade, ele descreveu como um de seus homens declarou: "Devemos nos deixar ser mortos, pois assim iremos para o paraíso", mas admitiu que "nenhum de nós seguiu seu conselho". Na verdade, quando seu navio foi abordado, Joinville mentiu para impedir sua execução, dizendo que era primo do rei. Como resultado, foi feito prisioneiro.[49]

Em meio a toda essa desordem, o rei Luís se viu separado da maior parte de suas tropas. Ele agora estava tão atacado pela disenteria que um buraco foi aberto em seus calções. Um pequeno grupo de seus seguidores mais leais fez uma brava tentativa de conduzi-lo à segurança, e por fim se refugiaram numa pequena vila. Ali, acuado e meio morto numa esquálida cabana, o poderoso rei da França foi capturado. Sua ousada tentativa de conquistar o Egito chegava ao fim.

O REI PENITENTE

Os erros de avaliação de Luís IX em Mansura – talvez principalmente sua incapacidade de aprender com os erros da Quinta Cruzada – agora se juntavam à sua própria prisão. Nunca dantes um rei do Ocidente latino tinha sido tomado prisioneiro durante uma cruzada. Este desastre sem paralelo colocou Luís e os depauperados remanescentes de seu exército numa posição enormemente vulnerável. Dominados pelo inimigo de modo inequívoco, sem nenhuma chance de obter condições para a rendição, os francos se viram à mercê do Islã. Saboreando o triunfo, uma testemunha muçulmana escreveu:

> Foi feito um inventário do número de cativos, e eles eram mais de 20 mil; os que haviam se afogado ou tinham sido mortos chegavam a sete mil. Eu vi os mortos, e eles cobriam a face da terra em sua profusão... Era um dia nunca visto pelos muçulmanos; eles tampouco tinham ouvido falar de tal fato.

Os prisioneiros foram jogados em campos através do Delta e distribuídos por graduação. Segundo um testemunho árabe, Turanshah "ordenou que os soldados rasos fossem decapitados", e instruiu um de seus lugares-tenentes iraquiano para supervisionar as execuções – o lúgubre trabalho aparentemente avançou com a média de trezentas execuções por noite. A outros francos foi oferecida a escolha entre a conversão e a morte, enquanto os nobres de alta posição, como João de Joinville, foram conservados em separado devido a seu valor econômico como reféns. Joinville sugeriu que o rei Luís foi ameaçado com tortura, e lhe mostraram um horrível instrumento de madeira "dotado de uma engrenagem dentada" usado para esmagar as pernas da vítima, mas isto não foi mencionado em nenhum outro lugar. Apesar da doença e das ignominiosas circunstâncias de sua captura, o monarca parece ter conservado sua dignidade.[50]

Na verdade, as circunstâncias de Luís foram marcadamente melhoradas pela posição cada vez mais incerta de Turanshah por essa época. Desde sua chegada em Mansura, o herdeiro aiúbida tinha favorecido seus soldados e oficiais, assim alienando muitos membros da hierarquia do exército egípcio – incluindo seu comandante mameluco Aqtay e o regimento Bahriyya. Disposto a garantir um acordo que consolidasse seu controle sobre a região do Nilo, Turanshah concordou em negociar e, de meados para o fim de abril, os termos foram acertados. Uma trégua de dez anos foi declarada. O rei franco seria libertado em troca da imediata rendição de Damieta. Um enorme resgate de 800 mil besantes de ouro (ou 400 mil *livres tournois*) foi estabelecido para os outros 12 mil cristãos sob custódia aiúbida.

No começo de maio, contudo, pareceu de repente que mesmo o cumprimento dessas condições punitivas não daria liberdade aos cristãos, pois o golpe aiúbida – tão esperado por Luís em Mansura – finalmente aconteceu. Em 2 de maio Turanshah foi assassinado por Aqtay e um perverso jovem mameluco do regimento Bahriyya, chamado Baybars. A luta pelo poder que se seguiu viu Shajar al-Durr escolhida como figura de proa do Egito aiúbida. Na realidade, contudo, um grande abalo sísmico agora estava a caminho – algo que levaria à gradual, embora inexorável, ascensão dos mamelucos.

A despeito dessas insurreições dinásticas, a retomada muçulmana de Damieta prosseguiu como planejada, e Luís foi libertado em 6 de maio de 1250. Ele então tratou de angariar os fundos para fazer o pagamento inicial de metade do resgate – 200 mil *livres tournois* – 177 mil das quais foram levantadas do fundo de guerra do rei, e o restante veio dos templários. Esta enorme soma levou dois dias para ser pesada e contada. No dia 8 de maio, Luís tomou um navio para a Palestina com seus principais nobres, entre eles seus dois irmãos sobreviventes, Afonso de Poitiers e Carlos de Anjou, além de João de Joinville. Até então, a grande maioria dos cruzados permanecia em cativeiro.

No despertar da adversidade

Todas as esperanças de Luís IX de subjugar o Egito e vencer a guerra pela Terra Santa tinham terminado em fracasso. Mas de muitas formas a verdadeira e notável profundidade do ideal de cruzado do rei franco só ficou aparente após sua humilhante derrota. Em circunstâncias similares, envergonhados por esse fiasco absoluto, muitos monarcas cristãos teriam voltado correndo para a Europa, dando as costas para o Oriente Médio. Luís fez o oposto. Percebendo que seus homens provavelmente ficariam apodrecendo como prisioneiros dos muçulmanos, a menos que ele continuasse a pressionar o regime egípcio a libertá-los, o rei optou por ficar na Palestina pelos quatro anos seguintes.

Nesse tempo, Luís serviu como suserano do Ultramar e, em 1252, havia garantido a liberação de suas tropas. Trabalhando incessantemente, ele se dedicou a pouco atrativa tarefa de reforçar as defesas costeiras do Reino de Jerusalém – supervisionando a intensa fortificação de Acre, Jafa, Cesareia e Sídon. Também estabeleceu uma guarnição permanente de uma centena de cavaleiros francos em Acre, pagos pela coroa francesa ao custo anual de cerca de quatro mil *livres tournois*.

Considerando-se a típica autopromoção ardorosa de outros líderes cruzados – de Ricardo Coração de Leão a Frederico II da Alemanha – Luís também exibiu uma extraordinária disposição de assumir a responsabilidade pelos enormes reveses sofridos no Egito. Os apoiadores do rei fizeram de tudo para transferir a culpa para Roberto de Artois, enfatizando que fora por conselho dele que ocorreu a marcha sobre Mansura no outono de 1249 e criticando o comportamento imprudente do conde no fatídico 8 de fevereiro de 1250. Mas numa carta escrita em agosto de 1250, o próprio Luís louvou a bravura de Roberto, descrevendo-o como "nosso mui querido e ilustre irmão de honrosa memória", e expressando a esperança e a crença de que ele havia sido "coroado como mártir". No mesmo documento, o rei explicou o fracasso da cruzada e seu próprio encarceramento como punições divinas, infligidas "como nossos pecados exigiram".[51]

Por fim, em abril de 1254, Luís voltou à França. Branca, sua mãe, havia morrido dois anos antes, e o reino capetíngio foi ficando cada vez mais instável. O rei voltou da Terra Santa como um homem mudado, e sua vida depois disso foi marcada pela extrema piedade e austeridade – usando cilício, ele só comia parcas porções de alimentos leves e estava constantemente em prece. Num certo ponto, Luís chegou a pensar em renunciar à coroa e entrar para um mosteiro. Também acalantou o desejo sincero e persistente de lançar outra cruzada, para assim, talvez, conseguir a redenção.

A expedição ao Egito remodelou sua vida, mas os eventos no Nilo também tiveram um efeito mais amplo sobre a Europa latina. A cruzada de 1250 havia sido cuidadosamente planejada, financiada e suprida; seus exércitos conduzidos por um paradigma da realeza cristã. E mesmo assim fora submetida a uma humilhante derrota. Depois de um século e meio de fracassos quase ininterruptos na guerra pela Terra Santa, este último revés provocou uma onda de dúvida e desespero no Ocidente. Alguns chegaram a dar as costas à fé cristã. Na segunda metade do século XIII – enquanto a força do Ultramar continuava a se diluir e novos inimigos aparentemente invencíveis surgiam no Levante –, as possibilidades de montar outra cruzada para o Oriente pareciam realmente remotas.

NOTAS

1   Morris, *Papal Monarchy*, pp. 358-86, 452-62, 478-89; B. Z. Kedar, *Crusade and Mission. European Approaches towards the Muslims* (Princeton, 1984); R. I. Moore, *The Formation of a Persecuting Society. Power and Deviance in Western Europe, 950-1250*, 2nd edn (Oxford, 2007); M. D. Lambert, *Medieval Heresy: Popular Movements from the Gregorian Reform to the Reformation*, 3rd edn (Oxford, 2002); C. H. Lawrence, *The Friars: The Impact of the Early Mendicant Movement on Western Society* (Londres, 1994).

2   H. Roscher, *Innocenz III und die Kreuzzüge* (Göttingen, 1969); H. Tillman, *Pope Innocent III* (Amsterdam, 1980); J. Sayers, *Innocent III: Leader of Europe* (Londres, 1994); B. Bolton, *Innocent III: Studies on Papal Authority and Pastoral Care* (Aldershot, 1995); J. C. Moore, *Pope Innocent III: To Root Up and to Plant* (Leiden, 2003); J. M. Powell (ed.), *Pope Innocent III: Vicar of Christ or Lord of the World?* (Washington, DC, 1994); Morris, *Papal Monarchy*, pp. 417-51. Henrique VI morreu antes que pudesse participar de uma cruzada planejada à Terra Santa. Não obstante, alguns cruzados alemães lutaram no Oriente Próximo em 1197-8. C. Naumann, *Die Kreuzzug Kaiser Heinrichs VI* (Frankfurt, 1994).

3   Innocent III, *Die Register Innocenz' III*, ed. O. Hageneder and A. Haidaicher, vol. 1 (Graz, 1964), p. 503.

4   M. Angold, 'The road to 1204: the Byzantine background to the Fourth Crusade', *Journal of Medieval History*, vol. 25 (1999), pp. 257-68; M. Angold, *The Fourth Crusade: Event and Context* (Harlow, 2003); C. M. Brand, 'The Fourth Crusade: Some recent interpretations', *Mediaevalia et Humanistica*, vol. 12 (1984), pp. 33-45. Harris, *Byzantium and the Crusades*, pp. 145-62; J. Pryor, 'The Venetian fleet for the Fourth Crusade and the diversion of the crusade to Constantinople', *The Experience of Crusading: Western Approaches*, ed. M. Bull and N. Housley (Cambridge, 2003), pp. 103-23; D. Queller and T. F. Madden, *The Fourth Crusade: The Conquest of Constantinople, 1201-1204*, 2nd edn (Philadelphia, 1997).

5   J. R. Strayer, *The Albigensian Crusades* (Ann Arbor, 1992); M. D. Costen, *The Cathars and the Albigensian Crusade* (Manchester, 1997); M. Barber, *The Cathars: Dualist Heretics in Languedoc in the High Middle Ages* (Londres, 2000); G. Dickson, *The Children's Crusade: Medieval History, Modern Mythistory* (Basingstoke, 2008).

6   J. M. Powell, *Anatomy of a Crusade 1213-1221* (Philadelphia, 1986), pp. 1-50.

7   James of Vitry, *Lettres*, ed. R. B. C. Huygens (Leiden, 1960), pp. 73-4, 82; James of Vitry, *'Historia Orientalis', Libri duo quorum prior Orientalis... inscribitur*, ed. F. Moschus (Farnborough, 1971), pp. 1-258; James of Vitry, *Historia Occidentalis*, ed. J. Hinnebusch (Freiburg, 1972); C. Maier, *Crusade Propaganda and Ideology: Model Sermons for the Preaching of the Cross* (Cambridge, 2000).

8   Sobre os Estados cruzados na primeira metade do século XIII, ver: Mayer, *The Crusades*, pp. 239-59; J. S. C. Riley-Smith, *The Feudal Nobility and the Kingdom of Jerusalem, 1174-1277* (Londres, 1973); P.W. Edbury, *John of Ibelin and the Kingdom of Jerusalem* (Woodbridge, 1997); Cahen, *La Syrie du Nord*, pp. 579-652.

9   Sobre o mundo aiúbida depois de Saladino, ver: Holt, *The Age of the Crusades*, pp. 60-66; Hillenbrand, *The Crusades: Islamic Perspectives*, pp. 195-225; R. S. Hunfredos, *From Saladin to the Mongols: The Ayyubids of Damascus 1193-1260* (Albany, 1977); R. S. Hunfredos, 'Ayyubids, Mamluks and the Latin East in the thirteenth century', *Mamluk Studies Review*, vol. 2 (1998), pp. 1-18; E. Sivan, 'Notes sur la situation des Chrétiens à l'époque Ayyubide', *Revue de l'Histoire des Religions*, vol. 172 (1967), pp. 117-30; A.-M. Eddé, *La principauté ayyoubide d'Alep (579/1183-658/1260)* (Stuttgart, 1999).

10 Em termos gerais, o modelo comum em todas as três ordens era uma divisão entre cavaleiros totais, que deviam possuir entre três e quatro cavalos; sargentos, menos bem equipados e subordinados aos cavaleiros; e os irmãos-sacerdotes, clérigos ordenados não envolvidos na luta, responsáveis pela supervisão do bem-estar espiritual dos irmãos cavaleiros. Normalmente, também era possível entrar para as ordens por períodos temporários, tais como um ano. A. Forey, 'The Military Orders, 1120-1312', *The Oxford Illustrated History of the Crusades*, ed. J. S. C. Riley-Smith (Oxford, 1995), pp. 184-216; J. Upton-Ward (trans.), *The Rule of the Templars* (Woodbridge, 1992).

11 P. Deschamps, 'Le Crac des Chevaliers', *Les Châteaux des Croisés en Terre Sainte*, vol. 1 (Paris, 1934); Kennedy, *Crusader Castles*, pp. 98-179; C. Marshall, *Warfare in the Latin East, 1192-1291* (Cambridge, 1992).

12 James of Vitry, *Lettres*, pp. 87-8; D. Jacoby, 'Aspects of everyday life in Frankish Acre', *Crusades*, vol. 4 (2005), pp. 73-105; D. Abulafia, 'The role of trade in Muslim-Christian contact during the Middle Ages', *Arab innfluence in Medieval Europe*, ed. D. A. Agius and R. Hitchcock (Reading, 1994), pp. 1-24; D. Abulafia, 'Trade and crusade, 1050-1250', *Cross-cultural Convergences in the Crusader Period*, ed. M. Goodich, S. Menache and S. Schein (Nova York, 1995), pp. 1-20.

13 D. Abulafia, *Frederick II: A Medieval Emperor* (Londres, 1988); W. Stürner, *Friedrich II*, 2 vols. (Darmstadt, 1994-2000).

14 James of Vitry, *Lettres*, p. 102. Sobre a Quinta Cruzada, ver: Powell, *Anatomy of a Crusade*, pp. 51-204; J. Donavan, *Pelagius and the Fifth Crusade* (Philadelphia, 1950); T. C. Van Cleve, 'The Fifth Crusade', *A History of the Crusades*, vol. 2, ed. K. M. Setton (Madison, 1969), pp. 377-428.

15 Olivier of Paderborn, 'The Capture of Damietta', *Christian Society and the Crusades 1198-1229*, ed. E. Peters, trans. J. J. Gavigan (Philadelphia, 1971), pp. 65, 70, 88.

16 Mayer, *The Crusades*, p. 223; Olivier of Paderborn, p. 72; James of Vitry, *Lettres*, p. 116.

17 James of Vitry, *Lettres*, p. 118.

18 Olivier of Paderborn, p. 88.

19 J. M. Powell, 'San Francesco d'Assisi e la Quinta Crociata: Uma Missione di Pace', *Schede Medievali*, vol. 4 (1983), pp. 69-77; Powell, *Anatomy of a Crusade*, pp. 178-9.

20 Powell, *Anatomy of a Crusade*, pp. 195-204.

21 Abulafia, *Frederick II*, pp. 251-89; F. Gabrieli, 'Frederick II and Muslim culture', *East andWest* (1958), pp. 53-61; J.M. Powell, 'Frederick II and the Muslims: The Makings of a Historiographical Tradition', *Iberia and the Mediterranean World of the Middle Ages*, ed. L. J. Simon (Leiden, 1995), pp. 261-9.

22 Abulafia, *Frederick II*, pp. 148-201; T. C. Van Cleve, 'The Crusade of Frederick II', *A History of the Crusades*, vol. 2, ed. K. M. Setton (Madison, 1969), pp. 429-62; R. Hiestand, 'Friedrich II. und der Kreuzzug', *Friedrich II: Tagung des Deutschen Historischen Instituts in Rom im Gedenkjahr 994*, ed. A. Esch and N. Kamp (Tübingen, 1996), pp. 128-49; L. Ross, 'Frederick II: Tyrant or benefactor of the Latin East?', *Al-Masaq*, vol. 15 (2003), pp. 149-59.

23 H. Kluger, *Hochmeister Hermann von Salza und Kaiser Friedrich II* (Marburg, 1987).

24 IbnWasil, *Arab Historians of the Crusades*, trans. F. Gabrieli (Londres, 1969), p. 270. Sibt ibn al-Jauzi (pp. 273-5) descreveu uma explosão de tristeza desta forma: "a notícia da perda de Jerusalém se espalhou por Damasco, e o desastre atingiu as terras do Islã. Foi uma tragédia tão grande que cerimônias públicas de luto foram instituídas". Roger of Wendover, *Flores Historiarum*, ed. H. G. Hewlett, 3 vols, Rolls Series 84 (Londres, 1887), vol. 2, p. 368.

25 Matthew Paris, *Chronica Majora*, ed. H. R. Luard, 7 vols, Rolls Series 57 (Londres, 1872-83), vol. 3, pp. 179-80. Sobre a autenticidade desta carta, ver: J. M. Powell, 'Patriarch Gerold and Frederick II: The Matthew Paris letter', *Journal of Medieval History*, vol. 25 (1999), pp. 19-26. Philip of Novara, *Mémoires*, ed. C. Kohler (Paris, 1913), p. 25; B. Weiler, 'Frederick II, Gregory IX and the liberation of the Holy Land, 1230-9', *Studies in Church History*, vol. 36 (2000), pp. 192-206.

26 Os reis da linhagem foram tidos como ausentes até 1268. M. Lower, *The Barons' Crusade: A Call to Arms and its Consequences* (Philadelphia, 2005); P. Jackson, 'The crusades of 1239-41 and their aftermath', *Bulletin of the School of Oriental and African Studies*, vol. 50 (1987), pp. 32-60.

27 Rothelin Continuation, 'Continuation de Guillaume de Tyr de 1229 à 1261, dite du manuscrit de Rothelin', *RHC Occ.* II, pp. 563-4. Este texto está disponível em tradução inglesa: J. Shirley (trad.), *Crusader Syria in the Thirteenth Century* (Aldershot, 1999), pp. 13-120.

28 Rothelin Continuation, p. 565.

29 Matthew Paris, *Chronica Majora*, vol. 4, p. 397. Sobre a carreira de Luís IX e a cruzada, ver: J. Richard, *Saint Louis: Crusader King of France*, trans. J. Birrell (Cambridge, 1992); W.C. Jordan, *Louis IX and the Challenge of the Crusade: A Study in Rulership* (Princeton, 1979); J. Strayer, 'The Crusades of Louis IX', *A History of the Crusades*, vol. 2, ed. K.M. Setton (Madison, 1969), pp. 487-518; C. Cahen, 'St Louis et l'Islam', *JournalAsiatique*, vol. 258 (1970), pp. 3-12. Sobre a devoção de Luís, ver: E.R. Labande, 'Saint Louis pèlerin', *Revue d'Histoire de l'Église de France*, vol. 57 (1971), pp. 5-18.

30 John of Joinville, *Vie de Saint Louis*, ed. J. Monfrin (Paris, 1995). Esse texto está disponível em tradução inglesa: C. Smith (trans.), *Chronicles of the Crusades: Joinville and Villehardouin* (Londres, 2008). Ver também: C. Smith, *Crusading in the Age of Joinville* (Aldershot, 2006). Uma coleção admiravelmente rica de fontes primárias ocidentais e árabe adicionais está disponível em tradução inglesa em: P. Jackson (trans.), *The Seventh Crusade,1244-1254: Sources and Documents* (Aldershot, 2007). Ver também: A.-M. Eddé, 'Saint Louis et la Septième Croisade vus par les auteurs arabes' *Croisades et idée de croisade à la fin du Moyen Âge, Cahiers de Recherches Médiévales (XIIIe-XVe s)*, vol. 1 (1996), pp. 65-92.

31 Jordan, *Louis IX and the Challenge of the Crusade*, pp. 65-104.

32 John of Joinville, p. 62; J. H. Pryor, 'The transportation of horses by sea during the era of the Crusades', *Commerce, Shipping and NavalWarfare in the Medieval Mediterranean*, ed. J. H. Pryor (Londres, 1987), pp. 9-27, 103-25.

33 John of Joinville, p. 72.

34 John of Joinville, pp. 72-6.

35 Matthew Paris, *Chronica Majora*, vol. 6, *Additamenta*, p. 158; Rothelin Continuation, p. 590; John of Joinville, p. 78; P. Riant (ed.), 'Six lettres aux croisades', *Archives de l'Orient Latin*, vol. 1 (1881), p. 389.

36 Hunfredos, *From Saladin to the Mongols*, pp. 239-307.

37 Nizam al-Mulk, *The Book of Government or Rules for Kings*, trans. H. Darke (Londres, 1960), p. 121; IbnWasil, *The Seventh Crusade*, trans. P. Jackson, p. 134; D. Ayalon, 'Le régiment Bahriyya dans l'armée mamelouke', *Revue des Études Islamiques*, vol. 19 (1951), pp. 133-41; R. S. Hunfredos, 'The emergence of the Mamluk army', *Studia Islamica*, vol. 45 (1977), pp. 67-99.

38   John of Joinville, p. 90; Ibn Wasil, *The Seventh Crusade*, trans. P. Jackson (Aldershot, 2007), p. 141.

39   Rothelin Continuation, p. 596; Ibn Wasil, *The Seventh Crusade*, pp. 133-40; *Historiae Francorum Scriptores ad Ipsius Gentis Origine*, ed. A. du Chesne, vol. 5 (Paris, 1649), p. 428.

40   Rothelin Continuation, p. 600; Matthew Paris, *Chronica Majora*, vol. 6, *Additamenta*, p. 195; John of Joinville, pp. 100-102.

41   Rothelin Continuation, p. 602.

42   Rothelin Continuation, pp. 603-4.

43   Rothelin Continuation, pp. 604-5; Ibn Wasil, *The Seventh Crusade*, p. 144.

44   Rothelin Continuation, p. 606; John of Joinville, pp. 110, 116.

45   Rothelin Continuation, p. 608; John of Joinville, pp. 142-4.

46   John of Joinville, pp. 144, 150; Rothelin Continuation, p. 609.

47   Rothelin Continuation, p. 610. Talvez seja possível que, nesses dias sombrios, o rei Luís IX, levado para além da tomada de decisões racionais, tenha se voltado para Deus, orando por um milagre. Esta circunstância está longe de inconcebível no contexto de uma cruzada. Mas dadas as opiniões de Luís sobre a necessidade de contrabalançar a ajuda divina com a responsabilidade prática humana, é improvável que ele tenha simplesmente confiado na intervenção sobrenatural.

48   Sibt ibn al-Jauzi, *The Seventh Crusade*, trans. P. Jackson (Aldershot, 2007), p. 159; John of Joinville, p. 150.

49   Matthew Paris, *Chronica Majora*, vol. 6, *Additamenta*, p. 195; John of Joinville, pp. 156-8.

50   Sibt ibn al-Jauzi, *The Seventh Crusade*, p. 160; John of Joinville, p. 166.

51   *Historiae Francorum Scriptores ad Ipsius Gentis Origine*, p. 429.

Compartilhando propósitos e conectando pessoas
Visite nosso site e fique por dentro dos nossos lançamentos:
www.novoseculo.com.br

facebook/novoseculoeditora
@novoseculoeditora
@NovoSeculo
novo século editora

Edição: 1
Fonte: Arno Pro

gruponovoseculo
.com.br

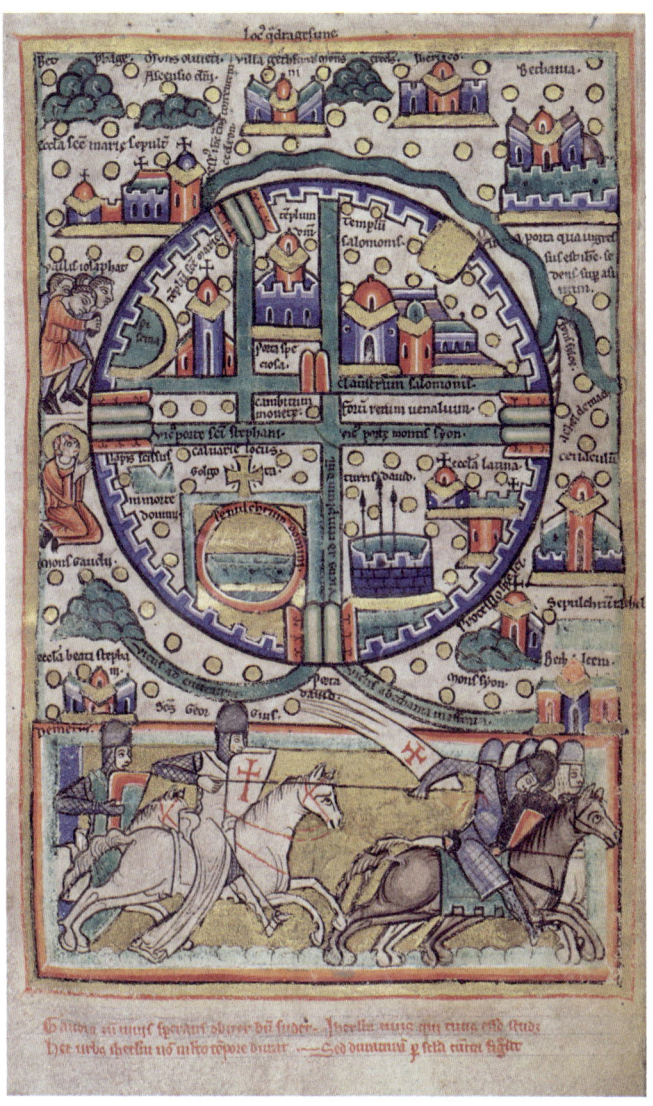

Na Idade Média, assim como hoje, Jerusalém era reverenciada como local de profundo significado espiritual para cristãos, muçulmanos e judeus, e o destino desta Cidade Santa esteve inextricavelmente ligado à história das cruzadas. Este mapa do final do século XII mostra a metrópole murada e seus santuários mais sagrados – o Domo da Rocha, a mesquita de Al-Aqsa e o Santo Sepulcro.

O papa Urbano II lançou a Primeira Cruzada em 1095.

Cerca de 100 mil pessoas aderiram à cruzada, entre eles o duque Godofredo de Bouillon e Ademar de Le Puy, aqui mostrados partindo para a Terra Santa.

A grande cidade de Antioquia, construída no sopé do Monte Silpius, era fechada por um circuito de altas muralhas com quase cinco quilômetros de comprimento.

Depois que entraram na cidade próximo do amanhecer do dia 3 de junho de 1098, os homens da Primeira Cruzada deram início a um massacre indiscriminado, aqui mostrado em uma iluminura do século XIII.

O Domo da Rocha, localizado dentro do Haram as-Sharif, ou complexo do Templo do Monte.

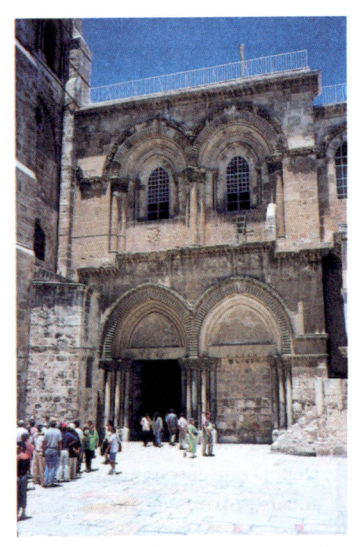

A cidadela de Jerusalém, a Torre de Davi.

O Santo Sepulcro, que se acredita incluir o local da morte e da ressurreição de Jesus Cristo. Foi aqui que os homens da Primeira Cruzada renderam graças depois de saquear Jerusalém em 15 de julho de 1099.

A cristandade latina do Reino de Jerusalém conquistou a cidade de Tiro – que abrigava um dos melhores portos do Levante – em 1124, com a ajuda de marinheiros venezianos (aqui vistos à direita). O apoio naval oferecido por cidades como Veneza, Pisa e Gênova provou ser crucial parda a fundação dos Estados cruzados. Esta iluminura provém de um manuscrito da *História do Ultramar*, de Guilherme de Tiro, produzido na segunda metade do século XIII.

A imponente cidadela de Alepo.

A Grande Mesquita dos Omíadas de Damasco.

Uma das duas capas de marfim do *Saltério de Melisenda*, o livro de oração pequeno, embora finamente decorado, que se acredita ter sido oferecido pelo rei Fulco de Jerusalém a sua rainha Melisenda por volta de 1135. Aqui um rei, portando a vestimenta imperial grega, executa obras de caridade: vestir os pobres, curar os doentes.

São Bernardo de Claraval: uma das mais destacadas figuras espirituais do século XII, apoiador dos templários e pregador da Segunda Cruzada.

O púlpito ricamente entalhado encomendado por Nur al-Din e instalado por Saladino na mesquita de Al-Aqsa de Jerusalém, em 1187. Foi destruído pelo fogo ateado por um fanático australiano em 1969.

Uma representação medieval tardia de Saladino, fundador da dinastia aiúbida e campeão do Islã.

O afloramento rochoso da Galileia conhecido como os Chifres de Hattin, onde Saladino confrontou os latinos em 5 de julho de 1187.

O artista francês do século XIX Gustave Doré imaginou o momento em que os muçulmanos cercaram o inimigo em Hattin.

A cidade de Acre – o que restou da Torre das Moscas pode ser visto na parte inferior desta foto aérea.

A efígie de Ricardo Coração de Leão, rei da Inglaterra (1189-99). Durante a Terceira Cruzada, Ricardo enfrentou as forças de Saladino, mas se mostrou incapaz de reconquistar Jerusalém.

Acima: O magnífico castelo hospitalário de Krak des Chevaliers.
À direita: As defesas da fortaleza "cruzada" síria de Saone foram reforçadas por um fosso profundo, cavado na rocha sólida, com um único pilar suportando uma ponte.
Abaixo: O castelo deserto de Kerak ajudou a defender Jerusalém e a controlar a passagem pela Transjordânia.

O papa Inocêncio III – um ardoroso e entusiasmado defensor da causa cruzada.

À esquerda: O imperador Frederico II da Alemanha, o mais poderoso governante secular da Europa, cultivou um interesse pela ciência e entretenimentos cortesãos como a falcoaria.

Abaixo: Soldados da Quinta Cruzada, ao atacarem Damieta, usaram a torre de assédio flutuante de Olivier de Paderborn para capturar a Torre da Corrente.

O rei Luís IX da França, usando azul real e flores de lis douradas, comanda suas tropas na Batalha de Mansura.

Guerreiros mamelucos – a elite militar muçulmana no século XIII – em treinamento.

O leão emblemático da Torre de Baybars no Cairo – uma imagem usada para marcar as obras públicas do sultão pelo Oriente Próximo. Baybars derrotou os mongóis e desencadeou uma série de ataques destruidores contra os Estados cruzados.

Acre, capital da Palestina franca no século XIII, caiu diante dos mamelucos em 1291. A titânica batalha pela cidade foi invocada nesta pintura do século XIX da Salle des Croisades (Sala das Cruzadas), Versalhes

Estátua monumental de Saladino erigida pelo presidente da Síria Hafez al-Assad, em 1992, no exterior da cidadela de Damasco.

O periódico satírico *Punch* procurou evocar ecos do passado cruzado depois que o general Allenby entrou em Jerusalém em 1917.

A decisão de George W. Bush de descrever a "Guerra contra o Terror" como "cruzada" depois do 11 de setembro provocou a ira de extremistas islâmicos como Osama bin Laden.